D1027573

Un libro
de

Luis
Hernán Rodríguez
Felder

en

actitud
imaginador

Versión
1.0
Siglo 21

Primera versión en edición inicial
basada en la edición original,
en lengua francesa,
de *Lady Chatterley's lover.*

El amante de *Lady Chatterley*

D. H. Lawrence

Imágen de tapa:
detalle de
"Las bañistas"
del pintor francés
JULES SCALBERT
(1851-1901)

Primera edición:
junio de 2001

I.S.B.N.: 950-768-355-0
Se ha hecho el depósito
que establece la Ley 11.723

Buenos Aires
República Argentina
IMPRESO
EN ARGENTINA
PRINTED IN
ARGENTINA

Prólogo

¿Qué expone esencialmente esta obra narrativa de Lawrence? Por sobre todo una mirada reflexiva acerca de las relaciones afectivas entre una mujer y un hombre. Una mirada que comprende los prejuicios, los malentendidos, los interrogantes, las vacilaciones, los esquemas, las normas, las obligaciones, las diferencias y las semejanzas en las relaciones entre uno y otro término de la persona humana, e incluye un ámbito peculiar donde todo esto se dirime: por un lado el particular, que reside en las características de los personajes y de sus vidas: una mujer joven con tal naturaleza, un hombre joven con determinada personalidad, el encuentro y la boda entre ambos, el drama de la invalidez física de él, las especiales relaciones posteriores entre ambos, y el encuentro de ella con otro hombre, de otra categoría social, con el que traba una relación íntima y tormentosa; y, por el otro lado, el ámbito social, es decir, las características de la sociedad y de la época en que tales acontecimientos se desarrollan.

¿Hay más en la obra? Hay mucho más texto, pero no más que lo que conforma esta versión de la obra en relación con la propuesta esencial que hemos descripto.

Creemos que esta obra de Lawrence, despojada de la cubierta del escándalo que provocó en el puritanismo fundamentalista de la sociedad victoriana inglesa, hecho que actúa como un básico imán de atracción hacia los lectores, es ni más ni menos que un relato acerca de los encuentros y desencuentros que van constituyendo la relación amorosa entre un hombre y una mujer, y una puesta en escena bastante desnuda y frontal de los juegos y ceremonias del deseo y el placer femenino y masculino.

Sabemos que muchos de los lectores que se han acercado a esta obra en los últimos tiempos suelen desistir de su lectura, porque ésta los desencanta, los decepciona. ¿En qué sentido? Sencillamente porque el enorme escándalo que provocó ya no tiene casi vigencia en la actualidad, y aquello que la "fama" de la misma promete debe ser descubierto y aislado por quien se aproxima desde este ángulo a ella. Es decir: es una de esas obras que suelen leerse buscando las partes o los fragmentos que interesan, evitándose leer lo demás.

Esta versión realizada de acuerdo con los preceptos de la **actitud imaginador** parte de un intenso trabajo sobre el texto y su transcurso narrativo. No busca evitar que un lector pase página tras página hasta encontrar el hilo de la narración que constituye la columna vertebral de la obra; al contrario: efectúa por él ese trabajo, pero muy cuidadosamente, muy minuciosamente, evitando que se pierdan fragmentos significativos que una lectura ansiosa -un "salteo" rápido- produce casi inevitablemente.

No desconocemos que un lector pueda querer leer la versión completa del original. Existen numerosas ediciones de este tipo. Nuestra propuesta -la realizada desde la **actitud imaginador**- tiene que ver con la imagen de esos senderos de tierra pelada a través del césped prolijo de un parque público, originados en el constante paso de la gente que lo atraviesa por allí, por ser un camino más rápido, más corto, más útil o más placentero que los que el arquitecto creador del parque diseñó.

Una norma de la **actitud imaginador** es lograr la supervivencia de un texto con valores a través de los tiempos. Hacer actual a Quevedo sin desvirtuarlo, porque es posible hacerlo, logrando que sus obras retomen su objetivo original, que es el de provocar el placer de quien las lee. Los grandes autores no escriben durante su vida con la finalidad de que sus obras se tornen "obras de panteón o de mausoleo". Estamos persuadidos de que, de estar vivos cinco o seis siglos después, ellos desearían causar el mismo efecto en los lectores del futuro que buscaron causar entre sus lectores contemporáneos.

De ahí que respetemos la lógica del sendero que la gente diseñó en el parque, porque es como el legado consuetudinario que luego se torna el fundamento de las leyes.

Retornar al placer de la lectura es el objetivo de la **actitud imaginador**. Recuperar el placer de la lectura en los textos clásicos, dejándolos en sus versiones originales para los estudiosos e investigadores, y volviéndolos a imaginar en versiones que los actualicen, despojándolos de lo que fue muy propio de la época en que fueron imaginados, pero que en la actualidad es incomprensible y hasta ininteligible para la mayoría de los lectores, es el objetivo de la **actitud imaginador**.

Una revolución en el ámbito de los contenidos, y no meros cambios cosméticos de diseño y actualizaciones en la presentación editorial de las obras. Un ambicioso propósito que vale la pena.

Luis Hernán Rodríguez Felder
BUENOS AIRES, JUNIO DE 2001

1

En una época trágica como la nuestra, viviendo entre las ruinas que provocó la primera gran guerra mundial, comenzamos a construir pequeños mundos, a tener insignificantes esperanzas. Un trabajo agobiante, bajo la certeza de que no hay un camino suave hacia el futuro, y abriéndonos paso entre lo que se nos opone. Viviendo, a pesar de todos los cielos que se hayan desplomado.

Ésta era, más o menos, la actitud de Constanza Chatterley. La guerra le había derrumbado el techo de su vida sobre la cabeza. Y ella se había dado cuenta de que debía aprender y seguir viviendo.

Se había casado con Rodolfo Chatterley en 1917, durante una de las licencias de él con un mes de permiso. Y todo ese mes duró la luna de miel. Luego él regresó al frente de combate, en Francia, para ser enviado a Inglaterra seis meses más tarde, con el cuerpo destrozado. Constanza, su mujer, tenía entonces veintitrés años; él, veintinueve.

Su apego a la vida era maravilloso. No murió, y lo que había sido despedazado parecía irse soldando de nuevo. Durante dos años estuvo en manos de los médicos. Luego le dieron de alta y pudo volver a la vida, pero a una vida con la mitad inferior de su cuerpo, de las caderas para abajo, paralizada para siempre.

Esto sucedió en 1920. Rodolfo y Constanza volvieron al hogar de los Chatterley. El padre había muerto. Rodolfo era entonces un noble, sir Rodolfo, y Constanza era lady Chatterley. Fueron a iniciar su vida de hogar y matrimonio en la descuidada mansión, contando con un dinero mensual más bien insuficiente. Rodolfo tenía una hermana, pero ella había decidido alejarse de la pareja. Por otra parte, no quedaban más parientes cercanos: el hermano mayor había muerto en la guerra. Paralítico sin cura, sabiendo que nunca podría tener hijos, Rodolfo había vuelto al hogar paterno para mantener vivo, mientras pudiese, el apellido de los Chatterley.

Realmente no estaba acabado. Podía moverse sin ayuda con una silla de ruedas, y tenía otra, con un pequeño motor incorporado, con la que podía deambular con lentitud por el jardín y recorrer el hermoso y melancólico parque, del cual estaba realmente muy orgulloso aunque fingía no darle mucha importancia.

Habiendo sufrido tanto, su fortaleza ante el dolor se había agotado de alguna manera. Permanecía como ausente, o brillante y de buen humor, con su cara resplandeciente y saludable, y el empuje luminoso de sus ojos azul pálido. Sus hombros eran anchos y fuertes, y sus manos potentes. Vestía ropa cara y llevaba corbatas elegantes de las mejores casas de moda de Londres. Y, sin embargo, en su cara podía advertirse una mirada vigilante, con un leve matiz de ausencia.

Había estado tan cerca de perder la vida que, a lo que le quedaba, le daba un valor excepcional. Era evidente, en el emocionado brillo de sus ojos, el orgullo de seguir vivo tras haber pasado por aquella tremenda prueba. Pero la herida había calado tan profundo que algo se había muerto dentro de él, y parte de sus sentimientos ya no existían. Había como un hueco en su sensibilidad.

Constanza, su mujer, muy saludable, de aspecto campesino, tenía el cabello castaño, un cuerpo fuerte y de movimientos pausados, llenos de una energía poco frecuente. De ojos grandes y expresivos, tenía una voz dulce y suave; parecía como recién salida de su aldea natal. Pero nada de esto era cierto. Su padre era un anciano noble, que fuera en otros tiempos muy conocido como miembro de la Real Academia de Pintura. Su madre había sido una mujer muy culta.

Entre artistas e intelectuales, Constanza y su hermana habían tenido lo que podría llamarse una educación estéticamente poco convencional. Las habían enviado a París, Florencia y Roma para "respirar arte", y habían ido después en dirección al norte, hacia La Haya y Berlín, para vivir en un ambiente intelectual en el que se hablaba en todas las lenguas civilizadas, sin despertar el asombro de nadie.

Las dos chicas, por lo tanto, y desde muy temprana edad, no se sentían intimidadas ni por el arte ni por la teoría política ni por la retórica. Era su ambiente natural. Por todo esto resultaban al mismo tiempo cosmopolitas y provincianas.

También las habían enviado a Dresde a los quince años para aprender música, entre otras cosas. Y lo pasaron bien allí. Vivían libremente entre los estudiantes; discutían con los hombres sobre temas filosóficos, sociológicos y artísticos; eran como los hombres sólo que mejor, porque eran mujeres. Vagabundeaban por los bosques con jóvenes robustos, provistos de guitarras. Cantaban las canciones de los leñadores, y eran libres. ¡Libres! Esa gran palabra. Al aire del mundo, en los amaneceres de los bosques, entre compañeros vitales y de magnífica voz, libres para hacer lo que quisieran (y sobre todo, para decir lo que les antojara). Hablar era la categoría suprema: el apasionado intercambio de la conversación. El amor era un tema menor.

Tanto Hilda como Constanza –a quien familiarmente le decían Costi– habían tenido sus primeras aventuras amorosas a los dieciocho años. Los jóvenes con quienes conversaban con tal pasión, los que cantaban con tanto ímpetu y acampaban bajo los árboles con tamaña libertad, deseaban, desde luego, una relación amorosa. Las muchachas tenían sus dudas, pero... ¡se hablaba tanto de la cosa, parecía tener tanta importancia, y los hombres eran tan humildes y tan anhelantes! ¿Por qué no iba a ser una chica como una reina y darse a sí misma como obsequio?

Así que se habían entregado, cada una, al joven con el que tenía las conversaciones más sutiles e íntimas. Las charlas, las discusiones eran lo más importante; hacer el amor y todo lo concerniente a las relaciones afectivas era sólo una especie de regreso a lo primitivo, y algo así como una compensación por la intensidad sentida. Después, una se sentía menos enamorada del joven y un poco inclinada a odiarlo, como si se hubiera entrometido en la vida privada y la libertad interior de una. Porque, desde luego, siendo una jovencita, toda dignidad y sentido de la vida consistía en el logro de una absoluta, perfecta, pura y noble libertad. ¿Qué otra cosa significaba la vida de una mujer joven sino eliminar las viejas y sórdidas relaciones y ataduras?

Y, por mucho sentimentalismo que hubiera, este asunto del sexo era una de las ataduras más antiguas y sórdidas. Los poetas que lo glorificaban eran mayoritariamente hombres. Las mujeres siempre habían intuido que había algo mejor, algo más elevado. Y ahora lo sabían con más certeza que nunca. La libertad hermosa y pura de una mujer era infinitamente más maravillosa que cualquier relación sexual. La única desgracia era que los hombres estuvieran tan retrasados en este asunto con respecto a las mujeres. Insistían en el asunto del sexo con tenaz persistencia.

Y la mujer tenía que ceder. El hombre era como un niño en sus deseos; la mujer tenía que concederle lo que quería o, como un niño, probablemente, él se volvería desagradable, escaparía y destrozaría lo que constituía una relación muy placentera. Pero una mujer podía ceder ante un hombre sin someter su libre interioridad. Eso era algo de lo que los poetas y los que hablaban sobre el sexo no parecían haberse dado cuenta suficientemente. Una mujer podía hacer el amor con un hombre sin caer realmente en su poder. Más bien: podía utilizar aquella cosa del sexo para adquirir poder sobre él. Porque sólo tenía que mantenerse al margen durante la relación sexual y dejarlo acabar y gastarse, sin llegar ella misma al clímax; y luego, prolongar la conexión y llegar a su orgasmo mientras él no era más que un instrumento suyo.

Ambas hermanas habían tenido ya sus primeras experiencias amorosas. Ninguna de ellas se había enamorado nunca de un joven, a no ser que los dos estuvieran muy cercanos a través de la conversación; es decir, a no ser que estuviesen profundamente interesados. Qué asombrosa, qué profunda, qué increíble era la emoción de hablar apasionadamente con algún joven inteligente, hora tras hora, y continuar día tras día, durante meses... ¡No se habían dado cuenta de ello hasta que sucedió! La promesa de ese paraíso que consistía en tener hombres con quienes hablar no se había pronunciado nunca. Y se cumplió antes de que ellas se hubieran dado cuenta de lo que una promesa así significaba.

Y si, tras la estimulante intimidad de aquellas discusiones plenas y profundas, la cosa del sexo se hacía más o menos inevitable, qué se le iba a hacer. Marcaba como el final de un párrafo o de un capítulo. Pero era también una excitación en sí: una excitación extraña y vibrante dentro del cuerpo, un espasmo final de autoafirmación, como la última palabra emocionante de un relato.

Cuando las chicas volvieron a su casa durante las vacaciones de verano de 1913, Hilda tenía veinte años y Costi, dieciocho. Su padre pudo darse cuenta de que ambas ya habían tenido su primera experiencia amorosa. Pero él mismo era un hombre experimentado y dejó que la vida siguiese su curso.

Así que las jóvenes volvieron a la ciudad de la música, de la universidad y de los jóvenes. Amaban a sus muchachos y ellos las amaban con toda la pasión de la atracción intelectual. Todas las cosas maravillosas que los jóvenes pensaban, expresaban y escribían, las pensaban, expresaban y escribían para ellas.

En su interior era también obvio que la experiencia física del amor había pasado por ellos. Es curiosa la sutil pero inconfundible transformación que se produce tanto en el cuerpo de los hombres como en el de las mujeres. La mujer se torna más floreciente, más sutilmente redondeada, sus juveniles angulosidades se suavizan y su expresión es emotiva y triunfante. En el hombre, mucho más apaciguado, más introvertido, la forma de sus hombros y de sus nalgas se vuelven menos rotundas, más indecisas.

En el impulso sexual concreto, en el interior de sus cuerpos, las hermanas estuvieron a punto de sucumbir ante el extraño poder masculino. Pero la recuperación fue rápida: aceptaron el impulso sexual como una sensación, y siguieron siendo libres. Mientras, los hombres, agradecidos por la experiencia sexual, entregaron sus almas a estas dos mujeres.

Pero estalló la Gran Guerra de 1914. Hilda y Costi fueron despachadas de nuevo a su hogar, al que habían regresado sólo un corto período por el fallecimiento de su madre. Y ya en la ciudad de donde eran oriundas, solían salir con grupos de amigos universitarios, que se inclinaban por una actitud libertaria, una especie de anarquía sentimental.

Sin embargo, Hilda se casó sorpresivamente con un hombre diez años mayor que ella, un hombre con no poca fortuna personal y un cómodo empleo hereditario en el gobierno, que además escribía ensayos filosóficos. Pasó a vivir con él en una casa no muy amplia, en una ciudad cercana, y entró en esa buena sociedad de familias de empleados de mediana jerarquía que constituyen el verdadero poder oculto del Estado.

Costi realizaba algunas tareas de ayuda para la guerra, y seguía saliendo con el grupo de jóvenes universitarios, un tanto intransigentes y de rigurosísima última moda. Su "amigo", un tal Rodolfo Chatterley, un joven de veintidós años, era en ese momento teniente de un regimiento no destacado aún en el frente; un regimiento para la nobleza, a la que éste pertenecía por nacimiento.

Pero, mientras Rodolfo era de una clase social más alta que aquélla a la que pertenecía Costi, era a la vez más provinciano y más tímido. De ahí que la evidente seguridad de una chica como ella lo fascinara. Ella era mucho más dueña de sí en aquel caótico mundo exterior, que él de sí mismo.

La familia de Rodolfo estaba compuesta por el padre, sir Alfredo, y por sus hermanos: Ema, que colaboraba como enfermera en el ejército, y Roberto, el primogénito y heredero del patrimonio familiar, quien moriría en el campo de batalla un año después de comenzada la guerra.

Cuando Rodolfo se convirtió en el heredero de los Chatterley, su padre comenzó a presionarlo para que se casara y tuviese a su vez alguien que lo heredase. Y fue insistente y persuasivo: Rodolfo se casó finalmente con Costi, a pesar de la sorpresiva oposición de su hermana Ema. Y pasó con su flamante esposa un mes de luna de miel.

Corría el terrible año de 1917. Y los dos estaban unidos, como si fueran pasajeros de un barco a punto de naufragar. Rodolfo era virgen al casarse, y el sexo no significaba mucho para él. A Costi le agradaba moderadamente aquella complicidad que estaba más allá de lo sexual, más allá de la satisfacción física de un hombre. La intimidad era más profunda, más personal que el mero contacto de los cuerpos; y para ella todo lo sexual era simplemente un accidente, o un agregado, un proceso no realmente necesario. Sin embargo, quería tener hijos; aunque sólo fuese para fortalecer su posición frente a la intemperancia de su cuñada.

Pero a principios de 1918 enviaron a Rodolfo destrozado, de vuelta a su patria. No hubo hijo. Y sir Alfredo murió de desesperanza.

2

Costi y Rodolfo se instalaron en la casa paterna en el otoño de 1920. Ema, la señorita Chatterley, disgustada por la traición de su hermano a ciertos principios familiares, se había marchado y vivía en un pequeño departamento de Londres.

La casa de los Chatterley era una antigua construcción alargada, de piedra marrón que, por los sucesivos añadidos de los últimos años, había perdido gran parte de la distinción de sus primeros tiempos. Estaba situada sobre una elevación en un apreciable parque con viejos robles.

No se había dado ninguna fiesta para celebrar la llegada del joven amo a la propiedad, ningún agasajo, ninguna recepción. Sólo un húmedo viaje en coche, por un camino oscuro y encharcado, a través de un túnel de árboles melancólicos, hasta salir a la pendiente del parque, donde pastaban unas ovejas grises y empapadas, y enseguida la cumbre donde el caserón desplegaba su maciza fachada. Allí los aguardaba el ama de llaves y su marido, a quienes se los advertía dispuestos a recitar entre dientes alguna fórmula de bienvenida.

Rodolfo era extremadamente tímido y susceptible desde que estaba impedido. Le molestaba ver a cualquiera, a excepción de los caseros, puesto que tenía que permanecer sentado en una silla de ruedas o moverse en una especie de cochecito de inválido. Pero a pesar de su situación, continuaba vistiéndose con elegancia. Por otra parte, jamás había sido uno de esos jóvenes con los que Costi se divertía antes. Era más bien de estilo campestre, de rostro curtido y hombros anchos. Pero su voz, muy suave e insegura, y sus ojos, al mismo tiempo huidizos y audaces, revelaban su carácter. Su comportamiento era a menudo ofensivamente engreído, para volver luego a ser modesto y comedido, casi melindroso.

Costi y él estaban unidos a la distante manera de las relaciones modernas. Había llegado a herirlo demasiado el tremendo impacto de su sorpresiva invalidez para poder ser abierto y chispeante. Ella permanecía apasionadamente al lado suyo, aunque no podía evitar que estuviese tan aislado de la gente.

Rodolfo sentía un remoto interés por el mundo exterior, pero como el de un hombre que mirara por un microscopio o un telescopio. No tenía una conexión real y profunda con nadie. Fuera de su casa y de su hermana, nada lo afectaba realmente. Costi se daba cuenta de que ni siquiera ella misma lo conseguía; quizá no había en él nada que pudiese conmoverse, sencillamente por negarse al contacto humano.

Sin embargo, dependía absolutamente de ella, la necesitaba en todo momento. A pesar de su fortaleza y su estatura, era un ser indefenso. Podía moverse en la silla de ruedas y tenía otra motorizada, con la que podía recorrer lentamente el parque. Pero cuando se quedaba solo era como un objeto abandonado. Necesitaba que Costi estuviese al lado suyo para tener la certeza de existir.

A pesar de todo, él tenía bastante amigos –en realidad, más bien conocidos– y los invitaba a su casa. Costi era la anfitriona de aquella gente... casi todos hombres. Era también anfitriona de las escasas amistades aristocráticas de Rodolfo. Siendo una muchacha dulce, de rojas mejillas, campestre, cubierta de pecas, de grandes ojos azules y pelo castaño ondulado, con una voz suave y amplias caderas, la consideraban muy femenina y un poco pasada de moda. No era del tipo de mocosa menudita, casi como un muchacho, con el pecho plano como el de un varón y el culo poco prominente.

Así que los hombres –en especial, los que ya no eran tan jóvenes– solían ser muy atentos con ella. Pero sabiendo la tortura que significaría para Rodolfo la menor señal de coqueteo por su parte, ella no les daba pie en absoluto. Permanecía callada y ausente, no tenía contacto con ellos ni trataba de tenerlo. Así, Rodolfo estaba extraordinariamente orgulloso de sí mismo.

El tiempo transcurría. Sucediera lo que sucediese, no pasaba nada, porque ella esquivaba deliciosamente el contacto con todo. Los dos vivían inmersos en sus propias ideas y en los libros de él. Siempre había gente en la casa. Y el tiempo seguía su curso, una hora detrás de la otra.

3

Costi era consciente, sin embargo, de que un creciente desasosiego la embargaba. A causa de su falta de contacto con el mundo, una cierta inquietud se iba apoderando de ella como si fuese el comienzo de la locura: se crispaban sus miembros aunque ella no hubiera intentado moverlos; sacudía su espina dorsal cuando en realidad no quería incorporarse, porque prefería estar descansando confortablemente; se removía dentro de su cuerpo, en su vientre, en algún lado, hasta que se veía obligada a zambullirse en el agua, y nadar para librarse de ello. Su corazón latía agitadamente, sin motivo. Y estaba enflaqueciendo.

Era simple inquietud. A veces salía corriendo a través del parque, abandonaba a Rodolfo y se echaba entre los helechos. Para escapar de la casa. Porque necesitaba escapar de la casa, de todo el mundo. El bosque parecía ser su único refugio, su santuario.

Pero no era realmente un refugio, ni un santuario, porque no tenía lazos reales con él. Era simplemente un lugar donde podía alejarse de los demás. Nunca llegó a captar el espíritu mismo del bosque, si es que existía una nimiedad semejante.

Vagamente sabía que, de alguna manera, se estaba quebrando. Vagamente sabía que había perdido el contacto, el hilo que la unía al mundo real y vital. ¡Sólo Rodolfo y sus libros, que no existían, porque no tenían nada dentro! Vacío en el vacío. Lo sabía, vagamente. Pero era como darse de cabeza contra una roca.

Su padre volvió a advertirle:

–¿Por qué no te buscas algún joven, Costi? Es lo mejor que podrías hacer.

Aquel invierno los visitó Miguel durante algunos días. Era un joven irlandés que había amasado una gran fortuna en Norteamérica, con sus obras de teatro. Durante un tiempo había sido recibido con entusiasmo por la buena sociedad de Londres, porque escribía sobre la "buena sociedad". Luego, gradualmente, ésta se dio cuenta de que había sido ridiculizada por una "miserable rata irlandesa" y se produjo el rechazo. Miguel fue considerado lo más bajo de la grosería y el mal gusto. Se descubrió que era uno de esos irlandeses que odiaba todo lo inglés, y para la clase que había efectuado este descubrimiento aquello era peor que el crimen más abyecto. Entonces, lo descuartizaron y arrojaron sus restos al tacho de la basura.

Sin embargo, Miguel tenía su departamento en pleno Londres y se paseaba por la Calle Bond con el aspecto de un caballero, porque ni siquiera los mejores sastres rechazan a sus clientes de baja categoría cuando esos clientes pagan.

Rodolfo había invitado a aquel joven de treinta años, sin dudarlo. Miguel cautivaba los oídos de un millón de personas probablemente; y, siendo un marginado sin remedio, agradecería sin duda una invitación a la villa de campo, en un momento en que el resto de la "buena sociedad" le cerraba las puertas.

Miguel llegó, como era de suponer, en un fantástico coche con chofer y un asistente. ¡Absolutamente vestido a la última moda! Al verlo, algo en el alma aristocrática de Rodolfo dio un vuelco. No era exactamente como lo había imaginado. Sin embargo, se portó de la forma más educada con el recién llegado.

Obviamente, Miguel no era un inglés, a pesar de todos los

sastres, peluqueros y zapateros del mejor barrio de Londres. Tenía, para Rodolfo, una forma incorrecta, chata, y pálida de cara y de modales, y de descontento. Era rencoroso e insatisfecho (conducta insoportable para cualquier caballero inglés, que nunca se permitiría se traslucieran tales rasgos en su conducta de forma tan evidente).

Pero había algo en él que le gustaba a Costi. No era presumido, ni se hacía ilusiones sobre sí mismo. Y hablaba con su anfitrión de forma sensata, breve y práctica. Así fue que, en una de esas conversaciones acerca del éxito de las obras que escribía, Miguel de pronto hizo una pausa y volvió sus ojos, lentos y plenos, ahogados en una especie de desilusión sin límites, hacia Costi; y ella tembló ligeramente. Él le parecía como un niño perdido y en cierto sentido, un marginado, pero con la bravura desesperada de una dura existencia.

–Por lo menos, es magnífico lo que ha logrado usted a su edad –agregó Rodolfo entonces, con expresión contemplativa.

–¡Tengo treinta años... sí, treinta! –dijo Miguel de manera cortante y sorpresiva, con una extraña sonrisa, como victoriosa y amarga.

–¿Y usted está solo? –le preguntó Costi.

–¿Qué quiere decir? ¿Si vivo solo?... Tengo a mi asistente, que es griego, según dice, y bastante inútil. Pero lo conservo. Y voy a casarme... Oh, sí, tengo que casarme.

–Suena como tenerse que operar del apéndice –se rió Costi–. ¿Le demandará un gran esfuerzo?

Él la miró con admiración.

–Bueno, señora Chatterley, supongo que en algún sentido lo será.

Costi estaba realmente asombrada ante aquel extraño y melancólico ejemplar. A veces era buen mozo; a veces, cuando miraba hacia un lado y hacia abajo, y la luz caía sobre él, tenía la belleza silenciosa y perenne de una talla en marfil, con sus ojos expresivos y las amplias cejas en un curioso arco, la boca inmóvil y apretada.

Miguel advirtió enseguida que la había impresionado. Volvió hacia ella esos ojos suyos tan expresivos, avellanados y ligeramente saltones, con una mirada de pura ausencia. Estaba estudiándola, considerando la impresión que le había producido.

Sabía en qué situación se hallaba en relación con Rodolfo. Eran como dos perros que no se conocían y a los que les hubiera gustado enseñarse los dientes, aunque se veían obligados a sonreírse. Pero con la mujer no estaba tan seguro.

El desayuno se servía en los dormitorios; Rodolfo no hacía su aparición nunca antes de la comida, y el comedor era un tanto lúgubre. Después del café, Miguel, una persona inquieta e impaciente, se preguntaba qué podía hacer. Era un hermoso día de otoño... y contempló la melancolía que imperaba en el parque. ¡Dios, qué lugar!

Envió a uno de los criados a preguntar si podía hacer algo por la señora Chatterley, indicándole que se le había ocurrido ir a un pueblo cercano en su coche. Le llegó como respuesta una cordial invitación a la sala de estar de la dama.

Costi tenía una estancia en el tercer piso, el más alto, en el sector central de la casa. Las habitaciones de Rodolfo estaban en la planta baja, por supuesto, dada su condición. Para Miguel era halagador verse invitado a subir a los aposentos particulares de la señora Chatterley. Siguió abstraídamente al criado. Y ya en la habitación, echó una vaga mirada a su alrededor.

–Es un lugar muy agradable –dijo con una sonrisa un tanto forzada, como si le costase o le doliese sonreír, enseñando sus dientes–. Ha sido una buena idea el haberse instalado en el piso superior.

–Sí, a mí me parece lo mismo –dijo ella.

Su habitación era la única agradable y moderna de la casa, el único lugar de aquella mansión en que se advertía su personalidad. Rodolfo no la había visto nunca y ella invitaba a muy poca gente a subir. Los dos estaban sentados en ese momento a ambos lados de la chimenea y conversaban. Ella le preguntó por su madre, por su padre, por sus hermanos. Miguel hablaba con toda franqueza, sin afectación, poniendo simplemente al descubierto la amargura indiferente de su alma.

–¿Por qué es usted un ser tan solitario? –le preguntó de pronto Costi. Y él volvió a mirarla con sus ojos del color de las avellanas, intensos, interrogantes.

–Algunos seres son así –contestó–. ¿Pero usted me ve de ese modo, tan absolutamente solitario? –preguntó enseguida con una extraña y como risueña mueca, retorcida como si tuviese algún dolor; y acompañada por una expresión permanentemente melancólica, o estoica, desilusionada, o atemorizada...

Ella se sentía terriblemente atraída hacia él, hasta el punto de perder casi el equilibrio.

Fue entonces cuando él levantó los ojos y la envolvió con aquella mirada intensa que lo veía todo y que todo lo registraba.

–Es muy amable que se preocupe por mí –dijo él, lacónicamente.

–¿Por qué no? –dijo ella, faltándole casi el aliento para hablar.

Él se rió con aquella risa torcida, rápida, siseante.

–Ah, siendo así... ¿puedo tomarle la mano por un segundo? –le preguntó él repentinamente, clavando sus ojos en ella con una fuerza casi hipnótica, y dejando emanar una atracción que la afectaba directamente en el vientre.

Lo observó fijamente, deslumbrada y transfigurada, y él se acercó y se arrodilló a su lado, tomó sus dos pies entre sus manos y hundió la cabeza en su regazo; así permaneció inmóvil. Ella estaba completamente fascinada y transfigurada, contemplando la tierna forma de esa cabeza, con una especie de confusión, mientras sentía la presión del rostro entre los muslos. Dentro de su ardiente abandono no pudo evitar colocar una mano, con ternura y compasión, sobre esa nuca indefensa, y él se agitó en un profundo estremecimiento.

Luego Miguel levantó la cara hacia ella, con aquel alucinante atractivo de sus intensos ojos brillantes. Ella era absolutamente incapaz de resistirlo. De su pecho emanó la respuesta de una inmensa ternura hacia él. A su corazón se impuso una única razón: tenía que darle lo que fuese, lo que fuese.

Era un amante curioso y muy delicado, extraordinariamente delicado con la mujer, y se estremecía en un temblor incontrolable y, a la vez, distante, consciente, muy consciente ante cualquier ruido exterior.

Para ella todo eso no significaba nada, excepto que se había entregado a él.

Y después, Miguel dejó de estremecerse y se quedó quieto, muy quieto. Luego, con dedos suaves y compasivos, le acarició la cabeza reclinada en su pecho.

Cuando él se incorporó, besó sus manos, luego sus pies en las pantuflas de cabritilla y, en silencio, se alejó hacia el extremo de la habitación; allí permaneció de espaldas a ella. Hubo un silencio de algunos minutos. Después él se volvió y se acercó de nuevo a Costi, sentada otra vez en el mismo sitio de antes, junto a la chimenea.

–¡Supongo que ahora me odiará! –dijo él en un tono tranquilo e inevitable.

Ella alzó rápidamente los ojos hacia él.

–¿Por qué? –inquirió.

–Casi todas lo hacen –dijo; y enseguida se corrigió–. Quiero decir... que eso es lo que ocurre con las mujeres.

–Nunca tendría menos motivos que ahora para odiarlo –dijo ella con un dejo de recriminación.

–¡Lo sé! ¡Lo sé! ¡Así debería ser! Es usted terriblemente buena conmigo... –se lamentó él miserablemente.

Ella no podía entender por qué se sentía tan desgraciado. Y percibió que, un momento más tarde, él estaba sollozando. Se quedó mirándolo asombrada.

–¿Puedo saludarla y retirarme? –le dijo sorpresivamente él.

Costi asintió. Entonces Miguel le besó la mano humildemente y se fue.

El joven volvió a la hora del té, con un gran ramo de lirios y violetas, y la misma expresión de perro faldero con la que había partido. Y se sentó junto a ella y a Rodolfo.

Costi ya estaba enamorada de él; pero se las arregló aquella tarde para mantenerse al margen con su bordado, para dejar hablar a los hombres sin delatar sus sentimientos. En cuanto a Miguel, era exactamente el mismo joven melancólico, atento y distante de la tarde anterior.

El amor ocasional, como un bálsamo y un alivio, era muy positivo, y en ese sentido, Miguel no era ingrato. Al contrario, se mostraba ardiente y ansiosamente agradecido por un rasgo de cariño natural y espontáneo, hasta llegar casi a las lágrimas. Bajo su cara pálida, inmóvil, desilusionada, su espíritu aniñado gemía de gratitud hacia la mujer y se agitaba por la necesidad imperiosa de volver a estar con ella; al mismo tiempo que su alma de fugitivo se daba cuenta de que realmente no iba a dejarse atrapar.

Encontró la oportunidad, mientras encendían las luces del vestíbulo, de decirle:

–¿Puedo subir?

–Yo iré a su habitación –dijo ella.

–¡Muy bien!

La esperó durante un largo tiempo.

Era un amante tembloroso, excitado, cuyo éxtasis llegaba pronto y pronto terminaba. En su cuerpo desnudo había algo curiosamente infantil e indefenso: todas sus defensas estaban en su ingenio y en su agudeza, en su profundo instinto para la astucia; y cuando no estaba en guardia, parecía doblemente desnudo, como un niño de carnes inconclusas y blandas que patalea desesperadamente.

Despertaba en la mujer una especie de salvaje compasión y nostalgia, un deseo físico desbocado y lleno de ansiedad. Él era incapaz de satisfacer aquellas ansias, porque llegaba siempre a su orgasmo y terminaba con rapidez, para luego recogerse sobre el pecho de ella y recobrar, en cierto modo, su insolencia, mientras Costi permanecía confusa, insatisfecha, como perdida.

Pero pronto aprendió a sujetarlo, a mantenerlo dentro de ella aun cuando su éxtasis había terminado. Y entonces era generoso y curiosamente potente; permanecía erecto dentro de ella, abandonado, mientras ella seguía activa, casi ferozmente, apasionadamente activa hasta llegar a su propia crisis.

Y cuando él sentía el frenesí de ella al llegar a la satisfacción del orgasmo producido por su firme y erecta pasividad, experimentaba un curioso sentimiento de orgullo y de satisfacción.

–¡Ah, qué maravilla! –susurraba ella, temblorosa, y permanecía quieta, apretada a él, que seguía acostado en su propio aislamiento, pero de alguna manera, orgulloso.

Aquella vez se quedó sólo tres días y, tanto con Rodolfo como con Costi, se comportó exactamente igual que la primera tarde. Nada parecía poder alterar su fachada.

Escribió a Costi con la misma nota de quejumbrosa melancolía que le era habitual, a veces con ingenio y con un toque de curioso sentimentalismo asexuado. Una especie de afiebrada afectividad es lo que parecía sentir por ella, pero el alejamiento esencial seguía siendo el mismo: era un ser desesperado hasta la médula y parecía querer seguir siéndolo. Odiaba en grado sumo el sentimiento de la esperanza.

Costi no llegó nunca a entenderlo realmente, pero a su manera lo amaba. Y siempre sentía en sí misma el reflejo de su desesperanza. Ella no podía amar del todo, no del todo en medio de la desesperación; y él, un desesperado, no podía amar de ninguna manera.

Así siguieron durante algún tiempo, escribiéndose y encontrándose ocasionalmente en Londres. Ella seguía añorando la emoción física, sexual, que podía sacar de él por su propia actividad, una vez que él había llegado a su diminuto orgasmo. Y él seguía queriendo proporcionársela. Aquello era suficiente para mantenerlos en contacto. Y suficiente para darle a ella una forma sutil de autoafirmación, algo ciega y no exenta de arrogancia. Era una confianza casi mecánica en su propia fuerza y estaba acompañada de un gran optimismo.

Costi estaba inmensamente contenta en la casa que era su hogar. Y utilizaba todo el potencial de su alegría y satisfacción para estimular a Rodolfo; de tal manera que él escribió sus mejores cosas por aquellos tiempos y era casi feliz en su extraña ceguera. Era él realmente quien recogía el fruto de la satisfacción sexual de Miguel en el interior de ella. ¡Pero él nunca lo supo, naturalmente, y si lo hubiera sabido, nunca hubiera dado las gracias!

Sin embargo, cuando aquellos días de ese enorme optimismo pleno de alegría y de iniciativas se fueron –y se fueron por completo–, y ella se volvió irritable y estaba deprimida, ¡cómo los echaba Rodolfo de menos! Quizá, de haberlo sabido todo, hasta hubiera deseado volver a unirla con Miguel.

4

Una mañana de agosto, escarchada y con un poco de sol, Rodolfo y Costi salieron a dar un paseo por el parque, hasta el bosque. Rodolfo iba en su silla de ruedas a motor y Costi caminaba a su lado.

La atmósfera, pesada, tenía olor a humedad, y la escarcha azulaba la base de los tallos. Un camino atravesaba el parque hasta la valla de madera como una hermosa cinta rosada.

Rodolfo conducía con precaución por la pendiente de la ladera y Costi mantenía su mano sobre la silla. Al frente se elevaba el bosque, primero la espesura de avellanos y detrás la densidad rojiza de los robles. En los límites del bosque los conejos correteaban y comían la hierba. Los patos se elevaron de repente en una fila negra y se alejaron en el cielo.

Costi abrió la puerta de madera y Rodolfo avanzó lentamente en su silla hasta el amplio sendero que se extendía por una pendiente entre los avellanos. Los dos penetraron en el bosque, que permanecía extrañamente inmóvil; en la tierra, las hojas muertas mantenían debajo a la helada. Una urraca dejó oír su graznido, los pájaros aletearon.

La silla de Rodolfo avanzaba con dificultades por la pendiente, rebotando y saltando sobre los terrones helados, hasta que de repente, a la izquierda, apareció un claro donde no había más que una maraña de helechos muertos, algunos pequeños rebrotes dispersos aquí y allí, algunas bases de troncos mostrando el corte de la sierra y sus raíces retorcidas, sin vida. Y manchas negras en los lugares donde los leñadores habían quemado ramas y basura.

Se detuvieron a observar a una perra marrón que había salido de un sendero lateral y los miraba con el hocico en alto, ladrando levemente. Un hombre armado con una escopeta apareció rápido y silencioso tras el animal, enfrentándose a ellos como si fuera a atacar; pero en lugar de ello se detuvo, los saludó y se dispuso a seguir su camino cuesta abajo. No era más que el nuevo guardabosque, pero había atemorizado a Costi al aparecer de forma tan repentina y amenazadora. Así es como lo había visto aquella primera vez, como una amenaza vertiginosa surgiendo de la nada.

Era un hombre vestido de grueso terciopelo verde, con botines, al viejo estilo; de rostro colorado, bigote pelirrojo y ojos distantes. Bajaba ya la colina a paso rápido.

–¡Mellor! –gritó Rodolfo.

El hombre se volvió con rapidez y saludó militarmente con un gesto rápido y breve... ¡el ademán de un soldado!

–¿Quiere darle la vuelta a la silla y ponerla en marcha? Así me será más fácil –dijo Rodolfo.

El hombre se echó rápidamente la escopeta al hombro y se acercó con el mismo movimiento veloz y suave a la vez, como un ser casi imperceptible. Era relativamente alto y delgado, y no hablaba. No miró a Costi en absoluto, sólo observó la silla de ruedas.

–Constanza, éste es el nuevo guardabosques, Mellor. ¿Todavía no conocía usted a mi esposa, Mellor?

–¡No señor! –fue la respuesta automática y neutra.

El hombre se quitó el sombrero, mostrando su cabello espeso y casi rubio. Miró enseguida a Costi, directamente a los ojos, con una mirada impersonal y sin temor, como si quisiera indagar cómo era. Ella se sintió intimidada. Inclinó hacia él la cabeza con cierto pudor, y él pasó el sombrero a la mano izquierda e hizo una ligera reverencia, como un caballero, pero no dijo nada. Después permaneció un momento silencioso, con el sombrero en la mano.

–Pero ya lleva usted algún tiempo aquí, ¿no? –le dijo Costi.

–Ocho meses, señora... señora Constanza –se corrigió con tranquilidad.

–¿Y le gusta?

La miró a los ojos, que se contrajeron ligeramente, con ironía, quizá hasta con una cierta desvergüenza.

–¡Sí, claro, gracias, señora! Me he criado aquí...

Hizo otra ligera inclinación, se volvió, se calzó el sombrero y avanzó para tomar la silla. Era, sin duda, un individuo curioso, rápido, diferente, solitario, pero seguro de sí mismo.

Rodolfo puso en marcha el motorcito, el hombre hizo girar cuidadosamente la silla y la colocó de cara hacia la pendiente, que ondulaba suave hacia la oscura espesura de los avellanos.

–¿Alguna cosa más, patrón? –le preguntó el hombre.

–No; pero será mejor que venga conmigo, no vaya a pararse esto. El motor no tiene realmente fuerza para ir cuesta arriba.

El hombre miró alrededor suyo buscando ubicar a la perra. Ésta lo estaba observando ya y movió ligeramente la cola. Una sonrisita burlona, y sin embargo amable, le vino a los ojos por unos segundos al reconocer la complicidad entre los dos, pero luego desapareció para dejar paso a una cara nuevamente inexpresiva. Fueron con bastante rapidez cuesta abajo; el hombre llevaba la mano sobre la barra de la silla, sujetándola. Parecía más un soldado voluntario que un criado.

Cuando llegaron a los avellanos, Costi se adelantó corriendo y abrió la puerta de la cerca del parque. Mientras ella la sujetaba, los dos hombres la miraron al pasar, Rodolfo de manera crítica, y el otro hombre con una admiración curiosa y fría, como queriendo averiguar, aunque a través de una actitud distante, cómo era ella. Y ella advirtió en sus ojos azules e impersonales una mirada de sufrimiento y lejanía, aunque, sin embargo, de un cierto calor. ¿Pero por qué era tan arrogante, tan altivo?

Rodolfo detuvo la silla una vez pasada la puerta cancel y el hombre se acercó rápido y cortés a cerrarla.

–¿Por qué corriste a abrir? –preguntó Rodolfo a Costi en voz baja, mostrando su descontento–. Mellor lo habría hecho.

–Creí que iban a seguir sin parar –le explicó Costi.

–¿Y dejar que corrieras detrás de nosotros? –replicó Rodolfo.

–Bueno, a veces me gusta correr.

Mellor volvió a tomar la silla con un aire de estricta ausencia, aunque, sin embargo, Costi se daba cuenta de que estaba fijándose en todo. Mientras empujaba la silla por la empinada pendiente del parque, comenzó a respirar más agitadamente, con los labios entreabiertos. En realidad era frágil. Curiosamente lleno de vitalidad, pero algo frágil y sofocado. Su instinto de mujer se había dado cuenta de ello. Costi se retrasó y dejó que siguiera adelante la silla de ruedas. El día se había puesto gris; el pequeño fragmento de cielo azul entrevisto antes en el círculo de la neblina se había cerrado de nuevo; hacía un frío desagradable. Iba a nevar. ¡Todo era gris, todo muy gris! El mundo parecía gastado.

La silla se había detenido en la cima del camino. Rodolfo buscaba a Costi con la mirada.

–¿No estarás cansada, no? –le preguntó.

–¡Oh, no! –respondió ella.

Pero sí lo estaba. Una sensación extraña y agobiante, una insatisfacción se había apoderado de ella. Rodolfo no se había dado cuenta: aquéllas no eran cosas que él percibiera. Pero el extraño lo advirtió. Para Costi todo en el mundo y en la vida parecía gastado, y a su insatisfacción la sentía más antigua que las colinas.

Llegaron a la casa y dieron la vuelta hacia la parte trasera, donde no había escalones. Rodolfo consiguió pasar por sus propios medios a la silla de ruedas de la casa, más baja; era muy fuerte y ágil con los brazos. Luego Costi levantó el peso de sus piernas muertas.

El guardabosque, esperando que le permitieran irse, lo observaba todo atentamente, sin perder detalle. Se puso pálido, con una especie de temor, cuando vio a Costi levantar las piernas inertes del hombre en sus brazos y pasarlas a la otra silla, mientras Rodolfo giraba el cuerpo al mismo tiempo. Estaba como atemorizado.

–Gracias por su ayuda, Mellor –dijo Rodolfo en tono intrascendente, mientras comenzaba a hacer rodar su silla por el pasillo hacia la zona donde habitaba el servicio.

–¿Nada más, señor? –respondió la voz, neutra como una de esas voces oídas en los sueños.

–¡Nada, buenos días!

–Buenos días, señor.

–¡Buenos días! Ha sido muy amable de su parte empujar la silla cuesta arriba. Espero que no se haya fatigado –dijo Costi mirando al guardabosque, que había quedado al otro lado de la puerta.

Sus ojos se dirigieron a ella un instante, como despabilándose. Era consciente de su presencia.

–¡Oh, no, fatigado no! –dijo rápidamente.

Luego su voz volvió al tono neutro anterior:

–¡Buenos días, patrón!

–¿Quién es el guardabosque? –inquirió Costi durante la comida.

–¡Mellor! Ya lo has visto –replicó Rodolfo.

–Sí, pero ¿de dónde sale?

–¡De ningún lado! Era un muchacho de por ahí. Hijo de un minero, creo.

–¿Y él ha sido minero?

–Herrero en la mina, creo; jefe de la herrería. Pero ya estuvo aquí como guarda durante dos años, antes de la guerra, antes de alistarse. Mi padre siempre tuvo buena opinión de él, así que cuando volvió y fue a la mina a pedir trabajo de herrero, volví a contratarle como guarda. Me alegré mucho de que aceptara. Es casi imposible encontrar aquí alguien que valga lo suficiente para hacer de guardabosque, y por sobre todo hace falta alguien que conozca a la gente.

–¿No está casado?

–Lo estuvo. Pero su mujer se fue con... con varios hombres... uno tras otro, y al final con un minero de un pueblo cercano; creo que vive allí todavía.

–¿Así que está solo?

–¡Más o menos! Tiene su madre en la aldea..., y una niña, creo.

Rodolfo miró entonces a Costi con ojos en los que se había dibujado una indefinida expresión.

Miguel regresó en el verano, con un traje pastel y guantes de cabritilla blanca, encantador, con unas orquídeas violáceas para Costi. Ella también lo estaba... encantada hasta donde era capaz de estarlo todavía. Y Miguel, encantado por su capacidad de encantar: él resultaba realmente maravilloso, muy hermoso a los ojos de Costi.

A la mañana siguiente de su llegada, Miguel se encontraba más a disgusto que nunca: inquieto, con las manos nerviosas en los bolsillos del pantalón. Costi no lo había visitado por la noche, y él no había sabido dónde encontrarla.

Subió a su cuarto de estar por la mañana. Ella sabía que él vendría. Y su inquietud era evidente. Se saludaron, uno frente al otro.

–¡Vamos! –dijo él repentinamente–. ¿Por qué no ponemos las cosas en claro entre nosotros? ¿Por qué no nos casamos?

–¡Pero si ya estoy casada! –dijo ella con asombro.

–¡Ah, eso...! Él te concederá el divorcio sin problemas... ¿Por qué no nos casamos? Yo deseo casarme. Sé que sería lo mejor para mí casarme y llevar una existencia ordenada. Llevo una vida desquiciada, deteriorándome... pero, ¿hay algún motivo para que no lo hagamos?

Costi lo miró desconcertada, y sin embargo impasible.

–Es que ya estoy casada –insistió–. No puedo abandonar a Rodolfo.

–¿Por qué no? ¿Pero por qué no? –exclamó él, casi gritando–. Ni siquiera advertirá que te has ido una vez que hayan pasado unos meses. Él ignora la existencia de todo el mundo, excepto la suya misma. Ese hombre no puede darte nada ni le sirves para nada; está totalmente dedicado a sí mismo.

Costi sabía que era cierto lo que le estaba diciendo. Pero sabía también que Miguel tampoco era un modelo de altruísmo.

De pronto él se revolvió, agitando furiosamente las manos en los bolsillos de sus pantalones.

–Esta noche vas a venir a mi habitación, ¿no? –le dijo–. Ni siquiera tengo idea dónde está la tuya.

–¡De acuerdo! –exclamó ella.

Aquella noche fue un amante más tranquilo. Costi no pudo llegar a su éxtasis antes de que él hubiese alcanzado realmente el suyo. Y logró despertar en ella una cierta pasión con su suavidad y su aspecto infantil; después que él hubo acabado, tuvo que persistir ella en el salvaje movimiento y palpitación de los muslos, mientras él se mantenía con toda su voluntad y desprendimiento hasta que Costi llegó a su éxtasis entre inconscientes gemidos.

Cuando ella logró salir de la culminación de su goce, él le dijo con una vocecita amarga, casi despectiva:

–¿No podías terminar al mismo tiempo que yo?; ¡tenías que acabar sola, por tu cuenta!

Aquella recriminación, y en aquel momento, fue uno de los grandes desengaños de la vida de Costi. Porque aquella manera pasiva de entregarse era nítidamente la única forma de relación sexual que él podía ofrecer.

Y por esto ella se quedó sin habla, justo cuando se había sentido rebosante en una especie de placer indescriptible y sintiendo por él algo semejante al amor. Todos sus sentimientos sexuales hacia él, o hacia cualquier hombre, se disolvieron aquella noche. Su vida se distanció de la de él tan por completo como si nunca hubiese existido.

Y volvió a la monotonía de los días. Aceptar la gran nada de la vida parecía ser el sentido único de vivir.

5

Había llovido como de costumbre y los caminos estaban demasiado empapados para la silla de Rodolfo, pero Costi iba a salir. Ahora partía sin compañía todos los días, casi siempre hacia el bosque, donde estaba realmente sola. Donde no veía a nadie.

Aquel día, sin embargo, Rodolfo quería enviar un aviso al guarda, y como el sirviente más joven estaba en cama con gripe –siempre tenía alguien que tener gripe en ese lugar–, Costi dijo que ella pasaría por la casa del cuidador.

El aire estaba como blando y moribundo, como si el mundo fuera agonizando lentamente. Gris, pegajoso y silencioso. En el bosque todo estaba inerte e inmóvil, en una quietud interrumpida sólo por gruesas gotas que caían de los troncos desnudos en un vacío chapoteo. El resto, entremezclado con los viejos árboles, era capa tras capa de gris, inercia sin remedio, silencio, nada.

Costi caminaba con desgano. Del viejo bosque emanaba una antigua melancolía, algo sedante, mejor que la dura insensibilidad del mundo exterior. Le gustaba ese intimismo de lo que quedaba del bosque, la muda reticencia de los viejos árboles. Parecían las potencias del silencio, y aun así se sentía una presencia vital. También ellos aguardaban: obstinadamente, estoicamente, esperando y emanando la fuerza del silencio. Quizá esperaban sólo el final; que los cortaran, que se los llevaran: el fin del bosque era para ellos el fin de todas las cosas. Pero quizá su silencio fuerte, ese silencio de los árboles llenos de vigor, significaba algo diferente.

Cuando ella salió del bosque por el lado norte alcanzó a ver la casa del guarda, una casita oscura de piedra amarronada, techo inclinado y elegante chimenea, que parecía abandonada de tan silenciosa y solitaria. Pero un hilo de humo salía del hogar y el pequeño jardín vallado del frente estaba cultivado y muy limpio. La puerta estaba cerrada.

Ahora que estaba allí la invadía la timidez ante la presencia de ese hombre con sus ojos curiosos y penetrantes. No le gustaba ir a transmitirle órdenes y tuvo ganas de volverse. Llamó suavemente; no abrió nadie. Volvió a llamar, pero todavía con suavidad. No hubo respuesta. Espió por la ventana y vio la pequeña habitación en penumbras, con una intimidad casi siniestra, rechazando su intromisión.

Se detuvo y escuchó; le pareció percibir ruidos en la parte posterior. Tras el fracaso para hacerse oír se sintió acicateada por el amor propio, y dispuesta a no dejarse vencer.

Dio la vuelta a la casa. En la parte trasera el terreno ascendía repentinamente y el corral de atrás quedaba hundido y rodeado por un muro bajo de piedra. Dio la vuelta por la esquina de la casa y se detuvo. En el diminuto corral, dos pasos más allá, el hombre se estaba lavando, ajeno a todo. Estaba desnudo hasta la cintura, con el pantalón de pana colgando en sus esbeltas caderas. Su espalda blanca y delicada se inclinaba sobre una palangana de agua con jabón en la cual metía la cabeza, sacudiéndola luego con un movimiento vibrante, rápido y leve, levantando sus brazos pálidos y finos y sacándose el agua jabonosa de los oídos, rápido y sutil como un niño jugando en el agua y completamente solo. Costi retrocedió hasta la esquina de la casa y se precipitó hacia el bosque. A pesar de ella misma estaba conmocionada. Después de todo no era más que un hombre lavándose: ¡por Dios, la cosa más normal del mundo!

Sin embargo, de alguna extraña manera, había sido como

una visión: un impacto pleno. Veía aún los toscos pantalones colgando sobre sus caderas blancas, de huesos algo salientes; y el sentido de intimidad, de una criatura puramente sola, la agobiaba. La perfecta y solitaria desnudez de una criatura que vive sola, interiormente sola. Y, más allá, esa cierta belleza de una criatura pura. No la materia de la belleza, ni siquiera el cuerpo de la belleza, sino un esplendor, el calor y la llama viva de una vida individual que se manifestaba en contornos que una podía tocar: ¡un cuerpo!

Costi había recibido el impacto de la visión en su vientre, y lo sabía; estaba dentro de ella. Pero mentalmente tendía a ridiculizar la situación. ¡Un hombre lavándose en un corral! ¡Sin duda con un jabón maloliente! Estaba desconcertada; ¿por qué tenía que haberse entrometido en aquellas intimidades tan vulgares?

Comenzó a caminar, buscando alejarse de allí y de sí misma, pero tras un momento se sentó sobre un tronco. Estaba demasiado confusa para pensar. Pero en el torbellino de su confusión decidió que tenía que darle el mensaje al hombre. No iba a dejar de hacerlo. Le daría tiempo para que se vistiera, pero no tiempo suficiente para que se marchara. Probablemente se estaba preparando para ir a alguna parte.

Volvió lentamente, escuchando. Al llegar cerca de la casa todo tenía el mismo aspecto. Un perro ladró y ella llamó a la puerta. Su corazón latía demasiado rápido, a pesar de sí misma.

Oyó los pasos ligeros del hombre bajando la escalera. La puerta se abrió repentinamente y ella se asustó. Él pareció incómodo, pero enseguida asomó una sonrisa a su cara.

–¡Señora! –exclamó– ¡Pase, por favor!

Su actitud era tan natural y agradable que ella atravesó el umbral y entró en la pequeña habitación inhóspita.

–Sólo he venido a traerle un mensaje del señor Rodolfo –dijo ella con voz suave, aunque un tanto jadeante.

El hombre la observaba con aquellos ojos azules, tan penetrantes que le hicieron volver ligeramente la cara hacia un lado. Él la encontraba bien, casi hermosa en su timidez, y se convirtió enseguida en dueño de la situación.

–¿Quiere sentarse? –preguntó, suponiendo que ella no querría. La puerta seguía abierta.

–¡No, gracias! El señor Rodolfo dice si podría usted...

Y le dio el mensaje mirándolo inconscientemente a los ojos de nuevo. Ojos que tenían ahora una expresión cálida y amable, especialmente para una mujer; maravillosamente cálidos y amables.

–Muy bien, señora. Me ocuparé enseguida de hacerlo.

Al aceptar la orden, toda su persona sufrió un cambio; miraba ahora con una especie de dureza y alejamiento. Costi dudaba; tenía que irse. Y observó a su alrededor con cierto desánimo: el cuarto estaba limpio, ordenado, pero un tanto vacío.

–¿Vive aquí completamente solo? –preguntó.

–Completamente solo, señora.

–Pero, ¿su madre...?

–Vive en su casa en el pueblo.

–¿Con la niña? –inquirió Costi.

–¡Con la niña! –asintió él.

Y su rostro, corriente, un tanto gastado, pasó entonces a tener una expresión indefinible de desdén. Era una cara que cambiaba constantemente, un rostro incomprensible.

–No –dijo al ver que Costi estaba desconcertada–, mi madre viene los sábados y limpia esto; del resto me ocupo yo.

Costi volvió a mirarlo. Sus ojos sonreían de nuevo, algo burlones, pero tiernos, azules y de cierta manera amables. Ella lo miraba interrogante. Llevaba pantalones, camisa de franela y una corbata gris, el pelo suelto y húmedo. Cuando sus ojos dejaban de reír parecía como si hubiesen sufrido mucho, pero sin perder su calor. Con todo, lo rodeaba la palidez del aislamiento, ella no existía realmente para él.

Quería decir tantas cosas... pero no dijo nada. Simplemente volvió a mirarlo y añadió:

–Espero no haberlo molestado.

La ligera sonrisa burlona achicó sus ojos.

–Claro que no, sólo estaba peinándome. Siento haberme presentado sin saco, pero no tenía idea de quién estaba en la puerta. Aquí no llama nadie y lo inesperado siempre intranquiliza.

Salió delante de ella por el sendero del jardín para abrirle la puerta del vallado. En camisa, sin su burda chaqueta de pana, ella se dio cuenta de nuevo de su esbeltez: él era delgado y algo cargado de espaldas. Y, sin embargo, al pasar a su lado había algo brillante y juvenil en su cabello claro y en la viveza de sus ojos. Debía tener treinta y siete o treinta y ocho años.

Avanzó lentamente hacia el bosque, sabiendo que él la observaba; la conmocionaba a pesar de sus esfuerzos para controlarse.

Y él, mientras volvía a la casa, se decía a sí mismo: "¡Es maravillosa, y es real! ¡Es más maravillosa de lo que ella se imagina!".

Ella no dejaba de pensar en él; no parecía un guarda, o en cualquier caso no tenía nada de un trabajador; aunque tenía algo en común con la gente del pueblo, pero al mismo tiempo era muy diferente.

–El guardabosque, ese Mellor, es un tipo curioso –le dijo a Rodolfo ya de vuelta en su casa.

–¿Ah, sí? No me había dado cuenta.

–¿No crees que tiene algo especial? –insistió Costi.

–Creo que es un buen hombre, pero sé muy poco de él. Dejó el ejército el año pasado, hace poco menos de un año.

Puede que aprendiera algo allí; quizá estuvo de asistente de algún oficial y eso lo haya pulido un poco. Pasa con algunos de los muchachos. Pero eso no suele servir de nada: tienen que volver a su sitio cuando retornan a casa.

Costi miró a Rodolfo pensativamente. Vio en él el rechazo intransigente y típico hacia cualquiera de las clases bajas que tuviera oportunidades reales de ascenso; ella sabía que aquélla era una característica de la gente de linaje.

–¿Pero no crees que hay algo especial en él? –insistió ella.

–¡Francamente, no! Nada de lo que yo me haya dado cuenta.

La miró de pronto con curiosidad, incómodo, casi como sospechando. Y ella presintió que le estaba ocultando la verdad; o tal vez se estaba ocultando la verdad a sí mismo... eso era. Le disgustaba cualquier mención que considerara a un ser humano como excepcional. La gente tenía que estar más o menos a su nivel, o por debajo.

Costi advirtió de nuevo la estrechez y pequeñez de los hombres como él. ¡Estaban tan asustados de la vida!

Cuando esa noche Costi subió a su dormitorio hizo lo que no había hecho en mucho tiempo: se quitó toda la ropa y se miró desnuda en el enorme espejo. No sabía qué observaba o qué buscaba con exactitud, pero, a pesar de todo, movió la lámpara hasta recibir la luz de lleno.

Y pensó, como había pensado tan a menudo, que el cuerpo humano desnudo es algo frágil, vulnerable y un tanto patético; ¡algo como inacabado, como incompleto!

Se decía a sí misma que había tenido una buena figura, pero sentía que ahora estaba fuera de moda: un poco demasiado femenina, aunque no lo bastante como una adolescente. No era muy alta, más bien algo rubicunda y baja, pero tenía una cierta gracia fluida y ligera que era indudablemente belleza. Su piel era ligeramente amarillenta, sus miembros estaban provistos de una determinada docilidad y mansedumbre, su cuerpo debería haber tenido una riqueza plena y enérgica; pero le faltaba algo.

En lugar de madurar en sus firmes curvas descendentes, su cuerpo se iba aplanando y adquiriendo asperezas. Era como si no hubiera recibido bastante sol y calor; estaba grisáceo y falto de vitalidad.

Desprovisto de una femineidad más real y contundente, no había llegado a convertirse en un cuerpo como el de un muchacho, transparente y etéreo; en lugar de eso se había opacado.

Sus pechos eran más bien pequeños y descendían en forma de pera. Pero no estaban maduros, rebozantes, y colgaban. Su vientre había perdido la tersura fresca que había tenido cuando era más joven. Entonces había sido juvenil y expectante, pero con una delgadez floja. También sus muslos, que habían sido tan ágiles e inquietos en su redondez femenina, se estaban volviendo de alguna manera planos, desinflados, carentes de gracia.

Sentía que su cuerpo estaba perdiendo la razón de ser, apagándose y haciéndose opaco. Y eso la hacía sentirse inmensamente deprimida y desesperada. ¿Qué esperanza le quedaba?

Era una vieja, vieja a los veintisiete años, sin brillo ni reflejos en la carne. Vieja por culpa del descuido y de la renuncia, sí, de su renuncia. Las mujeres elegantes se mantenían gracias a los cuidados externos. Dentro de la porcelana no había nada; pero ella no tenía ni siquiera ese brillo exterior. ¡La vida intelectual había opacado el brillo de su cuerpo! De repente sintió una rabia furiosa contra aquella renuncia a cuidarse.

Se miró en el otro espejo que reflejaba su espalda, su cintura, los muslos. Estaba adelgazando, pero a ella eso no le sentaba bien. El pliegue de la cintura en la espalda, cuando se volvió a mirar, parecía como producido por la fatiga; lo que en otros tiempos había irradiado tanta alegría... Y la extensa caída de sus caderas y de sus nalgas había hecho perder el resplandor y el sentido de aquella riqueza. ¡Desaparecido! Aquel cuerpo que había sido idolatrado por su amante de la juventud ya hacía casi diez años que estaba muerto.

¡Cómo pasaba el tiempo! Diez años muerto y ella tenía sólo veintisiete años. ¡Aquel muchacho con esa sensualidad inexperta y fresca que ella había despreciado tanto! ¿Dónde encontrar alguien así ahora? Era algo que los hombres habían perdido. Tenían sus orgasmos patéticos de dos segundos, como Miguel, pero no esa sensualidad humana tan vital que da calor a la sangre y reconforta a todo el ser.

Pese a todo esto, ella pensaba que su parte más hermosa era la amplia y ondulante caída de sus caderas desde el nacimiento de la espalda, y la apacible redondez y calma de las nalgas. "Como colinas de arena -dicen los árabes-, suaves y en lento declive descendente." Allí había aún una vida latente a la espera. Pero también allí había adelgazado e iba perdiendo la madurez, agriándose.

La parte delantera de su cuerpo la desesperaba. Estaban comenzando ya a formarse pliegues; en una delgadez un tanto arrugada, casi marchita, envejeciendo antes de haber empezado realmente a vivir. Pensó entonces en el niño que alguna vez podría engendrar. ¿Sería capaz de tenerlo?

Se puso el camisón y se metió en la cama; lloró amargamente. Y en su amargura se inflamaba una fría indignación contra Rodolfo, su literatura y sus conversaciones: contra todos los hombres de su clase que incluso hasta llegaban a arrebatar a una mujer su propio cuerpo.

6

En los días siguientes, Costi siguió con aquellos paseos sin rumbo fijo, pero la exasperación y la irritación se habían apoderado de la parte inferior de su cuerpo y no parecía haber escapatoria. Los días parecían desgranarse en un extraño dolor, a pesar de que nada sucedía. Sólo que ella adelgazaba.

Necesitaba ayuda y lo sabía. Escribió una nota a su hermana: "No me siento bien últimamente, y no sé qué me pasa".

Hilda acudió a verla. Llegó en marzo, sola, conduciendo su propio auto. Costi había salido corriendo hacia la escalinata. Hilda detuvo su coche, salió y besó a su hermana.

–¡Pero Costi! –exclamó–: ¿qué es lo que te pasa?

–¡Nada! –dijo Costi algo avergonzada; pero al compararse con Hilda se dio cuenta de lo que había sufrido.

En las horas siguientes, enfrentándose a Rodolfo, Hilda dispuso llevarse a Costi a Londres para que la viese un médico de su confianza. Y le dijo a él, antes de acostarse para pasar la noche allí:

–Deberías encontrarte una enfermera o alguien que te cuide personalmente.

Las dos hermanas se pusieron en marcha por la mañana. Costi, acurrucada al lado de Hilda, que conducía, parecía un corderito debilitado.

El doctor la examinó cuidadosamente y le hizo todo tipo de preguntas sobre su vida.

–Orgánicamente está todo bien –concluyó–. Pero no puede seguir así. Debe distraerse, divertirse, ¡evitar la depresión!

Al día siguiente las dos hermanas volvieron a la casa de los Chatterley. Hilda habló con Rodolfo, quien, a su manera, también estaba abrumado. Le contó todo lo que había dicho el médico, y lo instó a que aceptara alguien para que asumiese su cuidado.

Al día siguiente Rodolfo sugirió a la señora Bolton, la enfermera de la parroquia del pueblo. Las dos hermanas fueron a verla inmediatamente, y se encontraron con una mujer de buen aspecto y de unos cuarenta años con uniforme de enfermera, cuello blanco y delantal. Era muy atenta y educada y parecía bastante agradable.

Al domingo siguiente, la señora Bolton llegó a la casa de los Chatterley con dos valijas, y se instaló allí. Desde ese momento ayudó a Rodolfo a acostarse por la noche, y dormía al otro lado del pasillo frente a su habitación; si la llamaba por la noche, se levantaba a atenderlo. Lo ayudaba también por la mañana y pronto llegó a servirle por completo, llegando incluso a afeitarlo a su manera, delicada e incesantemente femenina. Trabajaba bien y con tanta eficacia, que pronto aprendió a tenerlo en su poder.

Y desde entonces Costi se sintió aliviada, en otro mundo. Respiraba de otra manera. La intranquilizaba aún cuántas de sus raíces, quizá vitales, seguían sin separarse de las de Rodolfo. Y sin embargo respiraba con mayor libertad, iba a comenzar una nueva fase de su vida.

La señora Bolton extendía también sobre Costi su mano protectora, dándose cuenta de que tenía que incluirla en sus cuidados femeninos y profesionales. Siempre la estaba azuzando para que saliera a pasear, para que fuera en coche al pueblo, y así tomar un poco de aire. Porque Costi había adquirido la costumbre de sentarse ante la chimenea, fingiendo leer o coser un poco, sin salir casi nunca.

Fue un día ventoso, poco después de que Hilda se hubiera marchado, cuando la señora Bolton dijo:

–¿Por qué no sale usted a dar un paseo por el bosque y se detiene a ver esos hermosos narcisos que nacen de un macizo al otro lado de la casa del guarda? Es lo más hermoso que hay. Y puede traerse algunos para la habitación; los narcisos salvajes tienen siempre un aspecto alegre, ¿verdad?

A Costi le pareció bien, incluso lo de salvajes en lugar de silvestres. ¡Narcisos silvestres! Después de todo, no se podía vivir tan encerrada en sí misma.

Llegaba la primavera...

¡Y el guardabosque, con su cuerpo fino y blanco como el pistilo solitario de una flor invisible! Había llegado a olvidarlo en su indescriptible depresión.

Pero ahora había algo que despertaba. Estaba más fuerte, podía andar mejor, y en el bosque el viento no era tan cansador como el que la había azotado al atravesar el parque. Quería olvidar; olvidar el mundo y toda aquella gente que tanto aborrecía. *¡Has de nacer de nuevo! ¡Creo que el cuerpo resucita! A no ser que el grano caiga a tierra y muera, volverá a germinar sin duda. ¡Cuando brote el azafrán, también yo me alzaré y veré el sol!* Ante el viento de marzo, un desfile infinito de versos recorrió su mente.

Pequeñas ráfagas de sol iban y venían, con una extraña brillantez, iluminando los confines del bosque, bajo los avellanos, con una luminosidad amarilla. Y el bosque estaba silencioso, muy silencioso, pero agitado por el sol en sus apariciones. Habían brotado las primeras anémonas y todo parecía blanqueado por la infinidad de flores que salpicaban el movedizo suelo. Llegaban ráfagas de aire frío y arriba se oía la furia del viento enredado en las ramas. Qué frío parecían tener las anémonas alzando sus hombros blancos y desnudos sobre su falda de verdor. Junto al sendero, también las primeras prímulas desvaídas y capullos amarillos que se abrían.

Arriba, el furor del viento y el temblor de las ramas, abajo sólo las frías corrientes de aire. Costi se sentía extrañamente excitada; subió el color a sus mejillas y ardía el azul de sus ojos. Avanzaba con dificultad, recogiendo algunas prímulas y las primeras violetas de un olor dulce y frío. Y vagabundeó sin saber dónde estaba.

Caminó hasta llegar al claro, al final del bosque, y vio la casa de piedra con verdín, de un aspecto casi rosado como la carne bajo la copa de una seta, con la mampostería templada por un rayo de sol. Había un brillo de jazmín amarillo junto a la puerta, que estaba cerrada.

Ni un ruido; la chimenea sin humo; ningún ladrido de perro.

Fue en silencio hacia la parte trasera, donde comenzaba el terraplén; porque tenía una excusa: ver los narcisos. Y allí estaban aquellas flores de tallo corto, doblándose, balanceándose y temblando, tan brillantes y vivas.

Costi se sentó con la espalda contra un pino de pocos años que se soportaba contra ella, elástico, fuerte y erecto. ¡Aquella cosa rígida y viva con la copa al sol! Y veía los narcisos teñirse de amarillo en un rayo de luz que a la vez calentaba su regazo y sus manos. Olía incluso el ligero aroma de las flores. Y luego, tan tranquila y solitaria, sintió que desde ese momento se zambullía en la corriente de su propio destino. Había estado sujeta por una cuerda, dando tumbos y bandazos como una barca fija a sus amarras; pero ahora estaba libre y a flote.

La luz del sol cedió al frío; en la sombra los narcisos se doblaban silenciosamente. Así permanecían todo el día y a lo largo de la helada noche, tan fuertes en su fragilidad.

Se levantó algo rígida, cortó algunos narcisos y comenzó a bajar. No le gustaba cortar las flores, pero quería una o dos para que le hiciesen compañía. Tendría que volver a su casa y a sus muros y ahora no podía soportarlo.

Cuando llegó a la casa, Rodolfo le preguntó:

–¿A dónde fuiste?

–¡Atravesé el bosque! Mira los pequeños narcisos. ¿No son adorables?

Él asintió distraídamente.

A la tarde siguiente volvió al bosque. Siguió el amplio sendero que serpenteaba entre los alerces hasta llegar a una cascada pequeña. Hacía frío en aquella ladera de la colina y no crecía ni una flor a la sombra de los árboles. Pero el helado manantial brotaba de su lecho de limpio pedregullo, de un blanco rojizo. ¡Tan frío y tan claro! ¡Tan brillante! Escuchó el leve tintineo del agua que corría lentamente y resbalaba por la pendiente. Incluso por sobre el rumor del bosque de alerces que extendía su oscuridad erizada, sin hojas, sobre la pendiente, se oía el susurro de las pequeñas campanitas del agua.

Aquel lugar era un poco siniestro, frío, húmedo. El pequeño claro que lo rodeaba era verde, frío y triste. Se levantó y se dirigió lentamente hacia la casa. Al andar oyó un débil golpeteo a la derecha y se detuvo a escuchar. ¿Era un martillo o un pájaro carpintero?

Era seguramente un martillo.

Siguió andando mientras escuchaba. Y entonces advirtió un caminito entre unos abetos jóvenes, un paso que no parecía llevar a ningún lado. Pero se dio cuenta de que alguien había pasado por allí. Se metió por él, dispuesta a la aventura, entre los densos abetos que pronto dejaron lugar al viejo bosque de robles. Siguió el sendero, y el martillear se fue acercando en el silencio que el viento dejaba en el bosque; los árboles producen silencio incluso en medio del ruido del viento.

Vio un claro reducido y oculto y una pequeña cabaña escondida hecha de troncos rústicos. ¡Nunca había estado allí antes! Se dio cuenta de que era el lugar tranquilo donde se cuidaban las crías de faisán; el guardabosque, en camisa, estaba arrodillado martilleando. La perra avanzó corriendo con un ladrido corto y agudo y el guarda levantó los ojos repentinamente y la vio. Tenía una expresión de sobresalto.

Se irguió y la saludó, observándola en silencio mientras ella avanzaba a cada paso con menor aplomo. A él no le gustaba la intromisión; apreciaba su propia soledad y su única y última libertad en la vida.

–Me preguntaba qué era ese martillear –dijo ella sintiéndose débil y sin aliento, y a la vez algo cohibida por lo directo de su mirada.

–Estoy arreglando el gallinero –dijo él en un tono vulgar.

Ella no sabía qué decir y se sentía muy débil.

–Me gustaría sentarme un momento –murmuró.

–Venga y siéntese en la choza –dijo él, adelantándose hacia la cabaña, empujando a un lado algunos maderos y herramientas y sacando una silla rústica hecha de maderas de avellano.

–¿Quiere que encienda una hoguera? –preguntó.

–¡Oh, no, no se moleste! –contestó ella.

Pero él le miró las manos; y advirtió que estaban azuladas. Entonces llevó rápidamente algunas ramas de alerce a la pequeña chimenea de ladrillo del rincón y un momento más tarde surgió una llama amarilla. Hizo sitio junto al hogar de ladrillo.

–Siéntese aquí un momento y caliéntese –dijo él.

Ella obedeció. Tenía esa extraña clase de autoridad protectora que la hizo acatar inmediatamente lo que él le había ordenado. Se sentó y se calentó las manos ante la chimenea, luego echó unos troncos al fuego mientras él seguía martimartillando afuera. En realidad no quería quedarse acurrucada en una esquina junto al fuego; le hubiera gustado más mirar desde la puerta; pero aquello se había dispuesto con intención de cuidarla y tuvo que someterse.

La cabaña era bastante acogedora, con paredes de tabla de pino sin barnizar, una pequeña mesa rústica y una banqueta además de la silla, un banco de carpintero, un cajón grande, herramientas, tablones nuevos, clavos y muchos objetos colgados de ganchos, entre ellos su chaqueta. No había ventana, y la luz entraba a través de la puerta abierta. Todo allí era un revoltijo, pero a la vez tenía el aspecto de una especie de pequeño santuario.

Volvió a escuchar el martilleo; no había plenitud en el ruido. Se sentía presente como una dosis de opresión. ¡En realidad era una intromisión en su vida privada, y una intromisión peligrosa! ¡Una mujer! Había llegado a un punto en que todo lo que quería era estar solo. Y sin embargo no estaba en sus manos defender la intimidad; era un asalariado y aquella gente eran sus patrones.

En especial se negaba a volver a relacionarse con una mujer. Lo temía; los anteriores contactos habían dejado una gran herida en él. Presentía que si no podía estar solo, si no lo dejaban solo, tendería a morir. Su rechazo del mundo exterior era completo; su último refugio era aquel bosque; ¡vivir allí escondido!

Costi comenzó a entrar en calor con el fuego, que se había convertido en una gran hoguera; y luego el calor se tornó excesivo. Fue a sentarse entonces en la banqueta junto a la puerta, observando al hombre que trabajaba. Él parecía no darse cuenta, pero lo percibía. A pesar de todo siguió trabajando como absorto, mientras su perra marrón permanecía sentada junto a él, vigilando un mundo digno de poca confianza.

Enjuto, silencioso y ágil, el hombre terminó la jaula que estaba haciendo, la dio vuelta, probó la puertecita corrediza y luego la dejó a un lado. Después se levantó, tomó una jaula vieja y la llevó al lugar donde estaba trabajando. En cuclillas, probó los barrotes; algunos se rompieron en sus manos; empezó a sacar los clavos. Luego la dio vuelta otra vez y se quedó pensando sin conciencia aparente de la presencia de la mujer.

Así Costi podía mirarlo atentamente. Y el mismo aislamiento solitario que había podido observar en él cuando estaba desnudo era evidente ahora que estaba vestido; solitario y concentrado, como un animal que trabaja solo, pero también ensimismado como un ser que se aísla por completo de todo contacto humano. Silenciosamente, con paciencia, huía de ella incluso en aquel momento. Era esa especie de paciencia silenciosa y fuera del tiempo de un hombre apasionado lo que afectaba de tal modo al vientre de Costi. Lo veía en su cabeza inclinada, en sus manos rápidas y tranquilas, en el pliegue de sus muslos esbeltos y sensibles. Ella notaba que la experiencia del hombre había sido más profunda, más amplia que la suya; más profunda, más amplia y quizá más aniquiladora. Y aquello la liberaba de sí misma; se sentía casi irresponsable.

Estaba sentada a la puerta de la choza como en un sueño, absolutamente olvidada del tiempo y de los detalles concretos. Estaba tan ausente que él pudo echarle una furtiva mirada y advertir una expresión expectante y de una absoluta tranquilidad. Para él era una expresión expectante. Y una pequeña oleada de calor se encendió repentinamente en sus muslos, en la raíz de su espalda, y sintió como un gemido interior.

Temía, con una repulsión casi mortal, volver a tener un contacto humano íntimo. Deseaba por encima de todo que ella se marchara y le dejara su intimidad no compartida. Temía su voluntad, su voluntad femenina y su insistencia de mujer joven. Y por encima de todo temía su fría impudicia de mujer acomodada, de alguien dispuesto a conseguir lo que se propone. Porque, después de todo, él no era más que un trabajador. Rechazaba la presencia de aquella mujer.

Costi volvió en sí con una desazón repentina.

Se puso de pie. La tarde se estaba transformando en atardecer, y sin embargo no era capaz de irse. Se acercó al hombre, que se puso firme, la cara de rasgos maduros rígida e inexpresiva, sus ojos vigilándola.

–Es tan agradable este sitio, tan tranquilizante... –dijo ella–. Nunca había estado aquí.

–¿No?

–Creo que vendré a sentarme aquí de vez en cuando.

–¿Sí?

–¿Cierra usted la choza cuando no está?

–Sí, señora.

–¿Y cree que podría conseguir una llave para que yo pueda venir? ¿Hay dos llaves?

–No, yo sólo sé de una.

Costi dudó; notaba su resistencia. Después de todo, ¿era acaso de él la choza?

–¿Podríamos conseguir otra llave? –preguntó con voz dulce, teñida en parte por el timbre de una mujer dispuesta a llegar adonde se ha propuesto.

–¡Otra! –dijo él, mirándola con un relámpago de furia mezclado con burla.

–Sí, una copia –dijo ella ruborizándose.

–Puede que el señor Rodolfo lo sepa –dijo él desentendiéndose.

–¡Sí! –dijo ella–, quizá tenga otra. Si no, podemos mandar hacer una copia de la suya. Estaría en un día o dos, supongo. Puede prescindir de ella durante ese tiempo.

–¡No lo sé, señora! No conozco a nadie que haga llaves por aquí.

De repente Costi se puso roja de ira.

–¡Muy bien! –exclamó–. Yo me encargaré de eso.

–De acuerdo, señora.

Sus ojos se encontraron. En los de él había una mirada fría y fea de desdén y de desprecio, al mismo tiempo que una indiferencia total ante lo que pudiera suceder. Los de ella ardían de odio.

Pero el corazón de Costi se vino abajo, se daba cuenta de cómo la odiaba él cuando ella se le oponía. Y lo vio caer en una especie de desesperación.

–¡Buenas tardes!

–¡Buenas tardes, señora! –saludó y se volvió bruscamente. Ella había despertado en él la furia contra la mujer con poder y encaprichada. Se encontraba indefenso. ¡Y lo sabía!

Y ella estaba enfurecida con el macho obstinado. ¡Y además él era un criado! Despechada, volvió a la casa.

Se encontró bajo el haya grande de la parte alta del parque con la señora Bolton, que la estaba buscando.

–Me preguntaba si llegaría usted, señora –dijo la mujer amablemente.

–¿Llego tarde? –preguntó Costi.

–Oh... es sólo que el señor Rodolfo estaba esperando para el té.

–¿Y por qué no lo ha preparado usted?

–Oh, creo que no hubiera estado bien. Me parece que al señor Rodolfo no le habría gustado, señora.

–No sé por qué no –dijo Costi.

Entró al estudio de Rodolfo, donde la vieja pava de cobre para el agua humeaba sobre la bandeja.

–¿Me he retrasado, Rodolfo? –dijo ella mientras dejaba las escasas flores y recogía la lata del té, de pie, con el sombrero y la bufanda todavía puestos, ante la bandeja–. ¡Lo siento! ¿Por qué no le dijiste a la señora Bolton que te preparara el té?

–No se me ocurrió –dijo él irónicamente–. No acabo de imaginármela presidiendo la mesa.

–No hay nada sacrosanto en una tetera –dijo Costi.

Él levantó la mirada hacia ella con curiosidad.

–¿Qué has hecho toda la tarde? –dijo.

–Pasear y sentarme en un sitio tranquilo. ¿Sabes que el acebo grande tiene bayas todavía?

El tiempo volvió a ser lluvioso. Pero después de un día o dos ella salió, a pesar de la lluvia, y se dirigió al bosque. Una vez allí se encaminó hacia la choza. Llovía, pero no hacía demasiado frío y el bosque emanaba silencio y recogimiento, inaccesible en la neblina de la lluvia.

Llegó al claro. ¡No había nadie! La choza estaba cerrada con llave, pero se sentó en los escalones de troncos bajo el porche rústico y se apretujó en su propio calor. Así permaneció sentada, mirando la lluvia y escuchando sus muchos sonidos y los extraños lamentos del viento en las ramas superiores, a pesar de que no parecían moverse. Los viejos robles la rodeaban con sus troncos grises, potentes, ennegrecidos por la lluvia, redondos y vitales, llenos de brotes nuevos. El terreno no era abundante en maleza, las anémonas brotaban, había algunos matorrales y una maraña púrpura de zarzamoras: el tono canela viejo de los helechos casi desaparecía bajo los macizos verdes de las anémonas. Quizá era aquél uno de los lugares inviolados... cuando el mundo entero estaba violado.

La lluvia estaba cediendo. Desaparecían las penumbras entre los robles. Costi quería irse; pero siguió sentada, aunque empezaba a tener frío; aún así, la inercia invencible de su resentimiento interno la sujetaba a aquel lugar como paralizada.

¡Violada! Hasta qué punto puede una sentirse violada sin que la toquen siquiera. Violada por palabras difuntas que se vuelven innobles y por ideas muertas que se transforman en obsesiones.

La perra marrón, húmeda, llegó corriendo, sin ladrar, levantando el empapado mechón de su rabo. La siguió el hombre, con una chaqueta de cuero negro mojada, y la cara algo sofocada.

Ella notó que había aminorado su paso impetuoso al verla. Costi se puso de pie en el reducido espacio seco bajo el porche rústico. Él saludó sin hablar y se fue acercando lentamente. Ella empezó a retirarse.

–Ya me iba –dijo.

–¿Estaba esperando para entrar? –preguntó él, mirando hacia la choza y no hacia ella.

–No, sólo me he sentado unos minutos para resguardarme –dijo ella con una tranquila dignidad.

Él la miró, porque ella parecía tener frío.

–¿No tiene llave el señor Rodolfo? –preguntó él.

–No, pero no importa. Puedo resguardarme perfectamente bajo el porche. ¡Buenas tardes!

Le disgustaba su forma de hablar.

Él la observó con detenimiento mientras se alejaba. Luego se levantó la chaqueta y metió la mano en el bolsillo del pantalón, sacando la llave de la choza.

–Entonces es mejor que se quede con esta llave. Ya encontraré otro nido para las aves.

Ella lo miró.

–¿Qué quiere decir? –preguntó.

–Quiero decir que puedo buscar otro sitio que sirva para criar los faisanes. Si quiere usted venir aquí, no le gustará que yo la esté estorbando todo el tiempo.

Ella se quedó mirándolo.

–Si quiere la llave, será mejor que la tome –prosiguió él–. O quizá será mejor que se la dé mañana y saque antes todos los cacharros. ¿Le parece bien?

Costi se enfureció por el tono que empleaba él.

–No quiero su llave –dijo–. No quiero que saque nada. ¡No se me ha ocurrido ni por un instante echarlo de su choza, gracias! Sólo quería poder venir a sentarme aquí alguna vez, como hoy. Pero puedo sentarme perfectamente bajo el porche, así que se acabó.

Él volvió a mirarla con sus ojos azules, ahora perversos.

–Bueno –mascculló–. La señora puede disponer con gusto de la choza, de la llave y de todo como está. Lo único es que en esta época del año hay que atender a las crías, y yo tengo que venir muchas veces y cuidarlas y todo eso. En invierno no necesito venir aquí casi nunca. Pero ahora es primavera y el señor Rodolfo quiere que se críen los faisanes... y la señora no querrá que yo la ande molestando todo el tiempo cuando ella venga a descansar.

Ella lo escuchaba con un ligero matiz de asombro.

–¿Y por qué iba a importarme que esté usted aquí? –preguntó.

Él la miró con curiosidad.

–¡Por el estorbo! –dijo cortante pero con significativa intención.

Ella se ruborizó.

–¡Muy bien! –dijo finalmente–. No lo molestaré. Pero no creo que me hubiese importado verlo trabajar con los faisanes. Hasta me hubiera gustado. Claro que si usted cree que eso le impide trabajar, no voy a molestarlo, no tenga miedo. Es usted el guarda del señor Rodolfo, no el mío.

La frase sonaba fuera de lugar, no sabía por qué. Pero la pronunció.

–No, señora. La choza es de la señora. Las cosas serán como quiera la señora, en cualquier momento. Puede usted despedirme cuando quiera con una semana de preaviso. Era sólo que...

–¿Que qué? –preguntó ella desconcertada.

Él se echó el sombrero atrás de una forma extrañamente cómica.

–Sólo que quizá a usted le gustaría disfrutar sola de este sitio cuando venga, sin que yo anduviera estorbando.

–Pero ¿por qué? –dijo ella con enojo–. ¿No es usted un ser humano civilizado? ¿Cree que debo asustarme de usted? ¿Por qué iba a fijarme en usted y en si está aquí o no? ¿Qué importancia tiene?

La miró con una cara resplandeciente de risa malvada.

–Ninguna, señora. Absolutamente ninguna importancia –dijo.

–Entonces, ¿por qué? –preguntó ella.

–¿Desea entonces la señora que le consiga otra llave?

–¡No gracias! No la quiero.

–La mandaré hacer de todas formas. Es mejor tener dos llaves de la cerradura.

–Creo que es usted un insolente –dijo Costi, subida de color y jadeando levemente.

–¡No, no! –dijo él apresuradamente–. ¡No diga usted eso! ¡No, no! No quería decir nada en ese tono. Sólo pensaba que si usted venía aquí tendría que sacar las cosas, y es un trabajo enorme instalarse en otra parte. Pero si la señora va a fijarse en mí, entonces... la choza es del señor Rodolfo y todo se hará como quiera la señora, como a la señora le guste y desee, siempre que a la señora no le importe que yo esté haciendo las cosas que tengo que hacer.

Costi se fue completamente anonadada.

No estaba segura de si la habían insultado y ofendido mortalmente o no. Quizá aquel hombre había querido decir realmente lo que había dicho: que creía que ella prefería no tenerlo alrededor suyo. ¡Como si ella hubiera siquiera pensado en ello! Como si pudieran tener alguna importancia él y su estúpida presencia.

Se dirigió a la casa con una gran confusión, sin saber qué pensar o qué sentir.

7

No había ya nada entre Constanza y Rodolfo. Ahora ya ni siquiera lo tocaba y él nunca la tocaba a ella. Ni siquiera le tomaba la mano y la mantenía tiernamente. No, y precisamente porque estaban tan fuera de contacto, él la torturaba con declaraciones de idolatría. Era la crueldad de la impotencia absoluta. Y ella sentía que llegaría a perder la razón o morir.

Se refugiaba en el bosque siempre que le era posible. Una tarde en que estaba perezosamente sentada observando las heladas burbujas del manantial, el guarda se había acercado a ella.

–Ya me han hecho su llave, señora –dijo, saludando militarmente y ofreciéndole la llave.

–¡Muchas gracias! –dijo ella sorprendida.

–La choza no está muy limpia. Espero que no le importe –dijo–. He quitado del medio lo que he podido.

–¡No quería que se molestara! –dijo ella.

–Oh, no ha sido ninguna molestia. Meteré los pichones de faisán en una semana más o menos. Y tendré que ocuparme de ellos por la mañana y por la noche, pero la molestaré lo menos posible.

–No me molesta en absoluto –insistió ella–. Preferiría ni siquiera ir a la choza si lo voy a estorbar.

La miró con sus ojos azules y despiertos. Parecía amable pero distante. Por lo menos era sano y robusto, aunque pareciera delgado y enfermizo. Parecía molestarle la tos.

–Está usted acatarrado –comentó ella.

–No es nada, un resfrío. La última pulmonía me ha dejado con algo de tos, pero no es nada.

Se mantenía apartado de ella, sin avanzar un paso.

Costi comenzó a ir a menudo a la choza por la mañana o por la tarde, pero él nunca estaba allí. Era evidente que la evitaba a propósito. Quería mantener su propia intimidad.

Había limpiado la choza. Había colocado la mesita y la silla junto a la chimenea; había dejado un pequeño montón de ramas y troncos y acomodado lo más posible las herramientas, como borrando su presencia. Afuera, junto al claro, había construido un pequeño cobertizo de ramas y paja para abrigar a los faisanes; bajo él estaban las cinco jaulas. Un día, al llegar, ella vio dos gallinas marrones sentadas alertas y orgullosas en las jaulas, incubando los huevos de faisán, ahuecando el plumaje, altivas y esponjosas. El corazón de Costi se sobresaltó. Ella se encontraba tan alejada de toda relación amorosa que casi no era una mujer, sino una simple criatura atemorizada.

Más tarde, las cinco jaulas fueron ocupadas por gallinas: tres marrones, una gris y una negra. Todas ellas, de la misma forma, se apretaban sobre los huevos con la suavidad y firmeza de la naturaleza femenina, ahuecando las plumas. Observaban con ojos brillantes a Costi cuando se inclinaba ante ellas, y emitían un cacareo de alarma y furor, aunque era esencialmente la ira de la hembra cuando alguien se acerca a sus crías.

Costi encontró maíz en un baúl de la choza. Se lo ofreció a las gallinas en la palma de la mano. No querían comerlo. Sólo una de ellas se lanzó sobre la mano con un picotazo feroz que asustó a Costi. Pero tenía un enorme deseo de dar algo a aquellas madres incubadoras que ni comían ni bebían. Les llevó agua en una latita y le inundó de placer ver cómo bebía una de las gallinas.

Comenzó a ir todos los días a verlas; eran lo único en el mundo que daba algo de calor a su corazón.

Las argumentaciones de Rodolfo la dejaban fría de los pies a la cabeza. La voz de la señora Bolton la dejaba fría y lo mismo sucedía con los hombres de negocios que los visitaban. Alguna carta espaciada de Miguel producía en ella el mismo efecto de frialdad. Se sentía morir al pensar que aquello fuera a prolongarse mucho tiempo más.

Sin embargo era primavera y las campanillas comenzaban a abrirse en el bosque y los pimpollos de los avellanos brotaban como una ducha de lluvia verde. ¡Qué cosa tan horrible que fuera primavera y todo estuviera tan helado, tan sin corazón! ¡Sólo las gallinas, maravillosamente cluecas sobre los huevos, emitían el calor de sus cuerpos femeninos creando nueva vida! Costi se sentía permanentemente a punto de perder el sentido.

Un día, un maravilloso día de sol lleno de grandes manojos de prímulas bajo los avellanos, y cantidades de violetas pespunteando los senderos, se acercó por la tarde a las jaulas y vio que había allí un polluelo minúsculo pavoneándose alrededor de una de las jaulas, con la gallina madre cacareando cerca de él. El polluelo era de un marrón ceniciento con marcas oscuras y era el pedacito de criatura más vivo sobre la superficie de la tierra en aquel momento. Costi se agachó para observarlo en una especie de éxtasis. Estaba fascinada. Y al mismo tiempo, nunca había sentido de una forma tan intensa la agonía de su condición de mujer abandonada, que se estaba convirtiendo en algo insoportable.

Sólo tenía un deseo en aquella época: acercarse al claro del bosque. Lo demás era una especie de sueño doloroso. Pero a veces sus deberes de anfitriona la mantenían todo el día en la casa. Y entonces se sentía como si ella también estuviera cayendo en el vacío, el vacío y la locura.

Una tarde se escapó después del té. Atardecía y atravesó corriendo el parque, como quien teme que la llamen para que vuelva. El sol se estaba poniendo con un color rosado cuando entró en el bosque, pero ella se apresuró entre las flores. Arriba la luz duraría aún mucho tiempo.

Llegó al claro del bosque sofocada y casi inconsciente. Allí estaba el guarda en mangas de camisa, terminando de cerrar las jaulas para que sus diminutos ocupantes estuvieran a salvo durante la noche. Aún así, un pequeño trío seguía correteando bajo el cobertizo de paja, pequeñas criaturas despiertas y parduscas, negándose a escuchar la llamada de la madre inquieta.

–¡He tenido que venir a ver a los polluelos! –dijo jadeante, mirando con timidez hacia el guarda, casi sin prestar atención a su presencia–. ¿Hay alguno más?

–Treinta y seis hasta ahora –le contestó–. ¡No está mal!

También a él le producía un extraño placer ver salir a los animalitos.

Costi se agachó frente a la última jaula. Los tres polluelos habían entrado. Pero sus cabecitas asomaban todavía abriéndose paso entre las plumas amarillas para desaparecer nuevamente. Luego asomó una sola cabeza aventurándose a mirar desde el vasto cuerpo de la madre postiza.

–Me gustaría tocarlos –dijo, introduciendo los dedos con prudencia entre los barrotes de la jaula.

Pero la gallina madre le lanzó un picotazo feroz y Costi se apartó temerosa y asustada.

–¡Cómo quiere picarme! ¡Me odia! –dijo con voz desconcertada–. ¡Pero si no voy a hacerles ningún daño!

El hombre, que estaba de pie a sus espaldas, rió, se agachó a su lado con las rodillas separadas y metió la mano en la jaula con una confianza llena de tranquilidad. La gallina le lanzó un picotazo, pero no tan feroz. Y lentamente, suavemente, con dedos seguros y amables, tanteó entre las plumas y sacó en el puño un polluelo que cacareaba débilmente.

–¡Aquí está! –dijo, extendiendo la mano hacia ella.

Ella tomó aquella criatura parduzca entre sus manos y la vio quedarse allí sobre sus patitas increíblemente finas, como un corpúsculo de vida en equilibrio temblando sobre la mano a través de unos pies minúsculos y casi sin peso. Pero levantó valientemente la cabecita, hermosa y bien formada, miró fijamente alrededor y emitió un pequeño "pío".

–¡Qué adorable!, ¡qué monada! –murmuró ella en voz baja.

El guarda, agachado a su lado, observaba también con una expresión divertida al polluelo que tenía en las manos. De repente vio que una lágrima caía sobre una de las muñecas de Costi. Y entonces se levantó, apartándose hacia la otra jaula. Porque repentinamente se había dado cuenta de que la antigua llama despertaba y se apoderaba de sus caderas, aunque la había creído dormida para siempre.

Él luchó contra ello, poniéndose de espaldas a Costi. Pero la oleada seguía descendiendo y descendiendo por sus piernas hasta llegar a las rodillas.

Se volvió a mirarla de nuevo. Estaba arrodillada, extendiendo lentamente las dos manos hacia adelante, sin mirar, para que el polluelo pudiera volver con la gallina madre. Y había algo tan silencioso y desamparado en ella que sus entrañas ardieron de compasión hacia Costi.

Sin ser demasiado consciente de ello, volvió rápidamente a su lado, se agachó de nuevo junto a ella, y, tomándole el pequeñuelo de las manos, lo devolvió a la jaula. En el dorso de sus caderas el fuego se encendió de repente con una llama más viva.

La miró aprehensivamente. Su cara estaba vuelta y ella lloraba de forma ciega, con una angustia contenida. Su corazón se fundió repentinamente hasta convertirse en una gota de fuego, y entonces extendió la mano, apoyando sus dedos sobre la rodilla de ella.

–No debe llorar –le dijo suavemente.

Pero ella se llevó las manos a la cara y se dio cuenta de que su corazón estaba realmente destrozado, y que ya nada tenía importancia.

Él puso la mano sobre su hombro y, suavemente, con ternura, comenzó a bajarla por la curva de su espalda, ciegamente, con un movimiento acariciador, hasta la curva de sus muslos en cuclillas. Y allí su mano, suavemente, muy suavemente, recorrió la curva de su cadera con una caricia ciega e instintiva.

Ella había encontrado su minúsculo pañuelo y trataba de secarse las lágrimas.

–¿Quiere venir a la choza? –dijo él con voz apagada y casi neutra.

Y aferrando suavemente su antebrazo con la mano, la ayudó a levantarse y la condujo lentamente hacia la choza, sin soltarla hasta estar adentro. Luego echó a un lado la mesa y la silla y sacó del cajón de las herramientas una manta marrón del ejército, extendiéndola con lentitud.

Ella lo miraba a la cara y permanecía inmóvil.

El rostro de él estaba pálido e inexpresivo, como el de un hombre que se somete a la fatalidad.

–Échese ahí –dijo con suavidad, y cerró la puerta.

Todo quedó oscuro, completamente oscuro.

Con una extraña obediencia ella se echó sobre la manta. Luego sintió la mano suave, insegura, desesperadamente llena de deseo, tocando su cuerpo, buscando su cara. La mano acarició su cara suavemente, muy suavemente, con infinita ternura y seguridad, y al fin sintió el contacto suave de un beso en su mejilla.

Ella permanecía silenciosa, como durmiendo, como en un sueño. Luego se estremeció al sentir que la mano vagaba suavemente, y sin embargo con una extraña impericia titubeante, entre sus ropas. Pero esa mano sabía cómo desnudarla en el sitio deseado. Fue tirando hacia abajo de la fina envoltura de seda, lentamente, con cuidado, hasta abajo del todo y luego sobre los pies. Después, con un estremecimiento de placer exquisito, tocó el cuerpo cálido y suave, y rozó su ombligo durante un momento con un beso. Y tuvo que entrar en ella inmediatamente, penetrar la paz de su cuerpo suave y quieto. Para él fue el momento de una paz pura al entrar en el cuerpo de la mujer.

Ella permanecía inmóvil, en una especie de ensoñación. La actividad, y luego el orgasmo, eran de él, sólo de él; ella no era capaz de hacer nada por sí misma. Incluso la firmeza de sus brazos en torno a ella, hasta el intenso movimiento de su cuerpo y el brote de su semen en ella se reflejaban en una especie de sopor del que ella no quiso despertar hasta que él acabó y se reclinó contra su pecho jadeando dulcemente.

Entonces se preguntó, sólo con cierta vaguedad se preguntó: ¿Por qué? ¿Por qué era necesario aquello? ¿Por qué la había liberado de una gran nube que la encerraba y le había traído la paz? ¿Era eso real? ¿Era real?

Su cerebro atormentado seguía sin sosegarse. Y se repetía: ¿Era real? De inmediato se dio cuenta de que si se entregaba al hombre era algo real. Pero si se reservaba para sí misma no era nada. Estaba vieja, se sentía con una edad de millones de años. Y al final ya no podía soportar la carga de sí misma. Estaba allí y no había nada más que tomarla. Nada más que tomarla. El hombre yacía en una misteriosa quietud.

¿Qué estaría sintiendo? ¿Qué estaría pensando? Ella no lo

sabía. Era un extraño para ella, no lo conocía. Sólo tenía que esperar, porque no se atrevía a romper su misterioso silencio. Estaba echado allí, con sus brazos en torno a ella, su cuerpo sobre el de ella; su cuerpo húmedo tocando el suyo, tan cercano. Y completamente desconocido, aunque pacífico. Su misma inmovilidad era tranquilizante.

Lo supo cuando por fin se levantó y se separó de ella. Fue como un abandono. Le bajó el vestido hasta las rodillas y permaneció de pie unos segundos, aparentemente ajustándose su propia ropa. Luego abrió la puerta con cuidado y salió.

Ella vio una luna pequeña y brillante que dominaba la última luz del atardecer sobre los robles. Se levantó rápidamente y se arregló; todo estaba en orden. Luego se dirigió hacia la puerta de la choza.

La parte inferior del bosque estaba en penumbras, casi en la oscuridad. Pero arriba el cielo parecía claro como un cristal, aunque no emitía mucha claridad. Él en ese momento se acercó entre las sombras con la cara levantada, como una mancha pálida.

–¿Le parece que nos vayamos de aquí?

–¿Adónde?

–La llevaré hasta la cerca de su casa.

Ordenó las cosas a su manera. Cerró la puerta de la choza y la siguió.

–No lo lamenta usted, ¿no? –le preguntó mientras andaba a su lado.

–¡No! ¡No! ¿Y usted? –dijo ella.

–¡De ninguna manera! –exclamó él. Luego, tras una pausa, añadió–: pero está todo lo demás.

–¿Todo lo demás? –inquirió ella.

–El señor Rodolfo. La otra gente. Todas las complicaciones.

–¿Por qué complicaciones? –dijo ella desengañada.

–Siempre las hay. Para usted y para mí. Siempre hay complicaciones.

Siguió avanzando firmemente en la oscuridad.

–¿Y usted lo lamenta? –preguntó ella.

–¡Por un lado sí! –respondió mirando al cielo–. Creí que me había librado de todo eso. Y ahora he vuelto a empezar.

–¿A empezar qué?

–La vida.

–¡La vida! –repitió ella como un eco y con un extraño estremecimiento.

–Es la vida –dijo él–. No hay forma de dejarla de lado. Y si se hace, casi es mejor morirse. Si tiene que abrirse otra vez la herida, que se abra.

Ella no era de la misma opinión, pero aun así...

–Es amor simplemente –dijo ella con alegría.

–Sea lo que fuere –contestó él.

Continuaron a través del bosque, cada vez más oscuro, en silencio, hasta llegar a las proximidades de la cerca.

–No me odia usted por eso, ¿no? –dijo ella anhelante.

–No, no –contestó él. Y de repente la estrechó contra su pecho de nuevo, con la misma pasión que hacía un rato en la choza–. No, para mí ha sido maravilloso, maravilloso. ¿Para usted también?

–Sí, para mí también –contestó ella faltando a la verdad, porque no había sido consciente de gran cosa.

La besó suavemente, muy suavemente, con besos que eran de ternura.

–Si no hubiera tanta otra gente en el mundo... –dijo él lúgubre.

Ella rió. Estaba a la puerta del parque de la casa. Él la abrió para que entrase.

–Me quedaré aquí –dijo el hombre.

–¡Sí! –Y extendió la mano, como para estrechar la de él. Pero él la tomó entre las suyas.

–¿Puedo volver? –preguntó ella anhelante.

–¡Sí! ¡Sí!

Ella lo dejó y cruzó el parque.

Él se quedó atrás, viendo cómo desaparecía entre las penumbras contra la palidez del horizonte. La vio marcharse casi con amargura. Había vuelto a atarlo cuando quería estar solo. Había tenido que pagar el precio de esa amarga intimidad de un hombre que acaba queriendo únicamente estar solo.

Se volvió hacia la oscuridad del bosque. Todo era silencio en él, la luna se había puesto. Pero él percibía los rumores de la noche, los ruidos lejanos, el tránsito de la carretera principal. Lentamente fue subiendo por la colina desnuda. Y desde la cumbre pudo ver el paisaje, las filas de luces brillantes en el pueblo, las luces más pequeñas en el valle, las luces amarillas de un caserío y puntos de luz por todas partes, aquí y allá, en el paisaje oscuro.

Volvió a las penumbras y al recogimiento del bosque. Pero sabía que aquel recogimiento era ilusorio. Un hombre ya no podía vivir solo y retirado. El mundo no permite la existencia de ermitaños. Y ahora había tomado a esa mujer y se había echado encima un nuevo ciclo de dolor y de miserias. Ya sabía por experiencia lo que aquello significaba.

No era culpa de la mujer, ni siquiera era culpa del amor o del sexo. De pronto la recordó a ella con infinita ternura. Pobre cosita desamparada, era mejor de lo que ella misma se imaginaba y demasiado buena para los canallas con los que estaba en contacto. Pobre, también ella tenía algo de la vulnerabilidad de los jacintos silvestres. ¡Y acabarían con ella! Sin ninguna duda acabarían con ella como acaban con todo lo que es tierno por naturaleza en la vida. ¡Tierna! De alguna manera ella era tierna, con la ternura de los jacintos en crecimiento. Pero él la protegería con su corazón durante algún tiempo.

Con su escopeta y su perra volvió a la casa, a la oscura casa de trabajo. Encendió la luz, prendió el fuego en la chimenea y tomó su cena de pan y queso, de cebollas tiernas y cerveza. Estaba solo, rodeado de un silencio que le gustaba. Su habitación estaba limpia y ordenada, pero más bien desnuda. Y sin embargo el fuego era vivo, el hogar blanco, la lámpara de petróleo colgaba brillante sobre la mesa con su hule claro.

Trató de leer un libro, pero aquella noche no lograba leer. Se quedó sentado en camisa junto al fuego, sin fumar, pero con una jarra de cerveza al alcance de la mano. Y pensó en Costi.

A decir verdad sentía lo que había sucedido, quizá más por ella que por sí mismo. Tenía como un mal presagio, no un sentido de haber hecho mal o de haber pecado; su conciencia no le decía nada en ese sentido. Sabía que la conciencia era esencialmente miedo a los demás, o miedo a sí mismo. Y no tenía ningún miedo de sí mismo. Pero temía conscientemente a la multitud, de la cual sabía por instinto que estaba compuesta de seres rayanos en la locura.

¡La mujer! ¡Si pudiera estar allí con él y no existiera nadie más en el mundo! El deseo despertó de nuevo, su pene comenzó a excitarse como un pájaro vivo, pero a la vez sintió una especie de opresión, un temor a exponerse él y exponerla a ella a aquel mundo exterior reflejado brutalmente en las luces eléctricas y que parecía cargar sobre sus hombros. Ella, pobrecita, no era para él más que una joven criatura femenina; pero una joven criatura femenina en la que él había penetrado y a la que deseaba de nuevo. Estirándose, con esa extraña lasitud del deseo, puesto que había vivido solo y sin contacto con una mujer durante cuatro años, se levantó y volvió a tomar la chaqueta y el arma, bajó la luz de la lámpara y salió con la perra a la noche estrellada.

Conducido por el deseo y por el miedo a aquella cosa maligna del exterior, hizo su ronda por el bosque lentamente, en silencio. Le gustaba la oscuridad y se adaptaba a ella. Se acomodaba a la ebullición de su deseo, que a pesar de todo era como una riqueza; ¡la bulliciosa inquietud de su pene, el inquieto fuego de su bajo vientre! Oh, si al menos hubiera otros para luchar contra todo aquello proveniente del exterior hostil y conservar la ternura de la vida, la ternura de las mujeres y la riqueza natural del deseo. ¡Si al menos hubiera otros seres para luchar codo con codo! Pero los otros estaban afuera en su totalidad, del otro lado.

Mientras tanto, Constanza había atravesado corriendo el parque en dirección a la casa, casi sin pensar. Todavía no había llegado a ninguna conclusión. Estaría a tiempo para la cena.

Más tarde, una vez en su habitación, continuó sintiéndose desconcertada y confusa. No sabía qué pensar. ¿Qué clase de hombre era aquél realmente? ¿La quería de verdad? No mucho, presentía. Y, sin embargo, era amable. Había algo, una especie de amabilidad cálida e ingenua, curiosa y repentina, que casi había forzado a sus muslos a abrirse a él. Pero ella pensaba que quizá podía ser tan amable con cualquier otra mujer. Aunque, aun así, todo era extrañamente sedante, reconfortante. Y era un hombre apasionado, sano y apasionado. Aunque quizá un tanto falto de personalidad; podría comportarse con cualquier mujer de la misma forma que se había comportado con ella. Realmente le faltaba personalidad. Para él, ella no era más que una hembra.

Y él ignoraba por completo a Constanza o a la señora Chatterley; simplemente acariciaba con ternura su vientre o sus pechos.

Al día siguiente fue al bosque. Era una tarde gris, sin viento; la gramilla, de un color verde oscuro, se extendía bajo los macizos de avellanos y todos los árboles realizaban un esfuerzo silencioso para abrir sus yemas. Aquel día podía sentir casi en su propio cuerpo el impulso inmenso de la savia en los grandes árboles, ascendiendo hasta las puntas de los capullos para abrirse allí en pequeñas hojas resplandecientes de un bronce sanguinolento. Era como una marea disparándose hacia arriba y esparciéndose por el cielo.

Llegó al claro, pero él no estaba allí. Sólo a medias había esperado verlo. Los polluelos de faisán corrían fuera de las jaulas, ligeros como insectos, mientras las gallinas cacareaban inquietas. Costi se sentó observándolos y esperando. Simplemente esperaba.

Apenas se fijaba siquiera en los polluelos. Esperaba.

El tiempo pasaba con una lentitud de ensueño y él no venía. Sólo lo había esperado a medias. Tampoco vino por la tarde. Tenía que volver a casa para el té. Pero tuvo que esforzarse para poder dejar aquel lugar.

Mientras avanzaba hacia la casa cayó una ligera llovizna.

Subió a su habitación. Se puso su viejo impermeable verde y se escabulló de la casa por la puerta lateral.

El gotear de la lluvia era como un velo que cubría el mundo, misterioso, apagado, sin frío. Entró en calor al apresurarse a través del parque. Tuvo que desabotonarse el ligero impermeable.

El bosque estaba en silencio, callado y secreto en la llovizna del atardecer; lleno del misterio de los huevos y de los capullos a medio abrir, y de las flores brotadas. En su penumbra todos los árboles brillaban desnudos y más oscuros, como si hubieran sido desprovistos de sus ropajes, y las cosas verdes sobre la tierra parecían canturrear de verdor.

Seguía sin haber nadie en el claro. Los polluelos se habían

refugiado casi todos bajo las alas de las gallinas, sólo uno o dos, los más atrevidos, correteaban sobre el terreno seco bajo el cobertizo de paja. Y no estaban muy seguros de sí mismos.

¡Así que todavía no había estado allí! Se mantenía alejado a propósito. O quizá algo marchaba mal. Quizá debiera ir a su casa a asegurarse.

Pero ella había nacido para aguardar. Abrió la choza con su llave. Todo estaba en orden, el maíz en el arcón, las mantas plegadas en el estante, la paja limpia en una esquina. La lámpara colgaba de un clavo. La mesa y la silla habían vuelto a su anterior emplazamiento.

Se sentó en una banqueta junto a la puerta. ¡En qué silencio estaba todo! La lluvia fina dejaba oír su rumor suave y esparcido, pero el viento no hacía ruido alguno. Nada hacía ningún ruido. Los árboles se mantenían erectos como criaturas vigorosas, en penumbra, apagados, silenciosos y vivos. ¡Cuánta vida había en todo!

La noche se acercaba de nuevo; tendría que irse.

Él estaba evitando verla.

Pero de repente apareció a grandes pasos, con su chaquetón de chofer, brillante de lluvia. Echó una mirada furtiva a la choza, medio saludó, se volvió a un lado y fue hacia las jaulas.

Una vez allí se agachó en silencio, observándolo todo muy atentamente para luego encerrar cuidadosamente a las gallinas y a los polluelos, protegiéndolos contra la noche.

Después se acercó lentamente hacia Costi. Seguía sentada en la banqueta, y ante ella se detuvo en el porche.

–Así que ha venido –murmuró.

–Sí –dijo ella, levantando la mirada hacia él–. ¡Llega usted tarde!

–¡Ya! –contestó él, volviendo la mirada hacia el bosque.

Ella se levantó lentamente, echando a un lado la banqueta.

–¿Iba usted a entrar? –preguntó ella.

Él la miró fijamente.

–¿No va a comenzar la gente a pensar mal si viene usted aquí todas las tardes? –dijo.

–¿Por qué? –Lo miró sin llegar a entender–. Dije que vendría. Y nadie más lo sabe.

–Pero pronto lo sabrán –contestó él–. Y entonces ¿qué?

Ella no sabía qué contestar.

–¿Por qué habrían de saberlo?

–La gente siempre acaba por saberlo –dijo él con tono de fatalidad.

El labio de ella tembló ligeramente.

–Eso es algo que yo no puedo evitar –susurró ella.

–No –replicó él–. Puede evitarlo no viniendo, si quiere –añadió en un tono más bajo.

–Eso es algo que no quiero hacer –murmuró ella.

Él volvió la cabeza hacia el bosque y se quedó en silencio.

–¿Pero qué pasará cuando la gente lo descubra? –preguntó finalmente–. ¡Imagíneselo! Piense lo humillada que se va a sentir; uno de los sirvientes de su marido...

Ella miró su cara vuelta hacia el otro lado.

–Es que... –vaciló–, ¿es que no quiere saber nada de mí?

–¡Reflexione! –dijo él–. Imagínese si la gente lo descubre. El señor Rodolfo y todo el mundo... todo el mundo hablando.

–Bueno, puedo irme de aquí.

–¿Adónde?

–¡A cualquier sitio! Tengo mi propio dinero. Mi madre me dejó una herencia y Rodolfo no puede tocarla. Puedo marcharme.

–Pero quizá no quiera marcharse.

–¡Sí, sí! No me importa lo que pase.

–¡Sí, eso es lo que le parece ahora! ¡Pero le importará! Tendrá que olvidar que la señora se ha implicado con un guardabosque. No es como si yo fuera un señor, un caballero. Sí, le importaría. Le importaría.

–En absoluto. ¡Qué me importa a mí ser la señora! Odio esto con toda mi alma. Me parece que la gente se burla cada vez que lo dice. ¡Y realmente se burlan! Incluso usted lo toma a broma cuando lo dice.

–¿Yo?

Por primera vez la miró directamente a los ojos.

–No me burlo de usted –dijo–. ¿No le preocupa el riesgo? –prosiguió con la voz apagada–. Debería preocuparle ahora para no lamentarlo cuando sea demasiado tarde.

Había en su voz un ruego que era a la vez una extraña advertencia.

–No tengo nada que perder –dijo ella casi de mal humor–. Si usted supiera en qué consiste pensaría que debería alegrarme de perderlo. Y usted: ¿tiene miedo por sí mismo?

–¡Sí! –dijo él rápidamente–. Lo tengo. Tengo miedo. Tengo miedo. Tengo miedo a las cosas.

–¿A qué cosas? –preguntó ella.

Sacudió de forma curiosa la cabeza hacia atrás, como indicando lo demás a su alrededor.

–¡Las cosas! ¡Todo el mundo! Todos ellos.

Luego se inclinó y besó de repente su cara de infelicidad.

–No, no me importa –dijo él–. Adelante, y que se vaya todo al diablo. ¡Pero si supiera que va usted a lamentar haberlo hecho...!

–No me deje –rogó ella.

Él puso sus dedos sobre la mejilla de Costi y la besó repentinamente.

–Entraré, entonces –dijo suavemente–. Quítese el impermeable.

Colgó la escopeta, se quitó la chaqueta de cuero húmeda y tomó las mantas.

–He traído otra manta –dijo–, para que podamos taparnos si quiere.

–No puedo quedarme mucho tiempo –murmuró ella–. La cena es a las siete y media.

La miró de reojo y luego consultó el reloj.

–Muy bien –se limitó a decir.

Cerró la puerta y encendió la lámpara con una llama baja.

–Alguna vez estaremos mucho tiempo juntos –dijo.

Desplegó las mantas sobre el suelo con cuidado, una de ellas doblada para que ella reposara la cabeza. Luego se sentó un momento en la banqueta y la atrajo hacia sí, sujetándola firmemente con un brazo y buscando su cuerpo con su mano libre. Ella percibió cómo se retardaba su aliento cuando lo encontró. Bajo la ligera combinación estaba desnuda.

–¡Oh! ¡Qué maravilla tocarte! –dijo, mientras su dedo acariciaba la piel delicada, cálida y oculta y después su cintura y enseguida sus caderas.

Bajó la cabeza y pasó la mejilla sobre su vientre y sus muslos una y otra vez. Y de nuevo ella se asombraba de la especie de éxtasis que aquello le producía a él. No comprendía qué belleza encontraba en ella a través del tacto de su cuerpo vivo y secreto, el éxtasis de la belleza pura. Porque sólo la pasión es consciente de ello. Y cuando la pasión está muerta o está ausente, el maravilloso impulso de la belleza es incomprensible e incluso un tanto despreciable; la belleza viva y cálida del contacto, tanto más profunda que la belleza de la visión. Ella sentía el deslizamiento de su mejilla sobre sus muslos, su vientre, los botones de sus pechos, y el cosquilleo próximo de su bigote y de su pelo espeso y suave, y sus rodillas comenzaron a estremecerse. Muy dentro de sí misma sentía una nueva excitación, una nueva desnudez aflorando. Y sintió algo de temor. Casi deseaba que él no la acariciara de aquella forma. De alguna manera la estaba llevando a compartir su ritmo. Y, sin embargo, ella seguía esperando, esperando.

Y cuando él la penetró con un más intenso deseo y consumación, los que eran para él la paz en su forma más pura, ella seguía esperando. Se sentía un poco al margen. Y sabía que en parte sólo ella tenía la culpa. Ella misma había buscado aquella distancia. Y ahora estaba quizá condenada a ella. Se mantuvo inmóvil, sintiendo sus movimientos dentro de ella, su intensa concentración, su repentino estremecimiento al brote del semen y luego el empuje cada vez más lento. Aquel movimiento de las nalgas siempre parecía un poco ridículo. Si se era mujer y se consideraba aquello desde alguna distancia, no cabía duda de que el movimiento de las nalgas del hombre era absolutamente ridículo. ¡No cabía duda de que el hombre era intensamente ridículo en aquella postura y en aquel acto!

Pero ella siguió inmóvil allí, sin retirarse. Ni siquiera cuando él terminó trató de excitarse a sí misma para llegar a su propia satisfacción, como había hecho con Miguel; siguió inmóvil y las lágrimas afloraron lentamente y se desprendieron desde sus ojos.

Él también estaba inmóvil. Pero la mantenía abrazada y trataba de cubrir sus pobres piernas desnudas con las suyas para mantenerlas calientes. Estaba sobre ella con una ternura íntima y llena de entrega.

–¿Tiene frío? –preguntó con una voz suave, recogida, como si ella estuviera cercana, junto a él. Y, sin embargo permanecía lejos, distante.

–¡No! Pero tengo que irme –dijo ella con amabilidad.

Él suspiró, la apretó aún más contra sí, y luego aflojó el abrazo para reposar de nuevo.

No había advertido sus lágrimas. Creía que estaba allí, con él.

–Tengo que irme –repitió ella.

Él se incorporó, se arrodilló un momento a su lado, besó la parte interior de sus muslos, luego bajó su falda y se abrochó sus propias ropas, despreocupado, sin volverse de lado siquiera, a la luz difusa de la lámpara.

–Tienes que venir un día a mi casa –dijo, mirándola con una expresión cálida, segura y libre de preocupaciones.

Pero ella seguía tendida, inerte, mirándolo y pensando: "¡Eres un extraño!, ¡un extraño!" Incluso le molestaba un poco su presencia.

Él se puso el saco y buscó su sombrero, que había caído al suelo; luego se echó la escopeta al hombro.

–¡Vamos! –dijo, mirándola con aquellos ojos cálidos y mansos. Ella se levantó lentamente. No quería irse. Pero al mismo tiempo le molestaba quedarse. La ayudó a ponerse el fino impermeable y vio que todo en ella estaba en orden.

Luego abrió la puerta. El exterior estaba oscuro.

La perra, fiel, bajo el porche, se levantó contenta al verlo. El manto de llovizna atravesaba las tinieblas. La oscuridad era completa.

–Te dejaré la linterna –dijo–. No habrá nadie.

Avanzó delante de ella por el estrecho sendero, balanceando el farol e iluminando la hierba húmeda, las raíces de los árboles, brillantes y negras como serpientes, las pálidas flores. El resto era una neblina de lluvia gris y la oscuridad total.

–Tienes que venir a mi casa alguna vez –dijo–: ¿lo harás? Total, tanto da que lo cuelguen a uno por un cordero que por una oveja.

La desconcertaba el extraño e insistente deseo que había despertado en él, aunque no había nada entre ellos, aunque en realidad nunca había hablado con ella. Su "tienes que venir" no parecía dirigido a ella, sino a alguna otra mujer, más vulgar. Reconoció las plantas de malvones del camino de entrada y se dio cuenta de dónde estaban más o menos.

–Son las siete y cuarto –dijo–, llegarás a tiempo.

Había cambiado el tono de su voz, parecía haberse dado cuenta de su lejanía. Al pasar la última curva del camino antes del seto de avellanos y la cerca apagó la luz.

–Desde aquí se ve bien –dijo tomándola suavemente del brazo.

Era difícil avanzar, la tierra bajo sus pies era un misterio; pero él encontraba el camino tanteando: estaba acostumbrado. En la cancela le dio su linterna eléctrica.

–En el parque hay más claridad –dijo–, pero llévala por si pierdes el camino.

Era cierto, en el espacio abierto del parque parecía haber una fosforescencia gris espectral. De repente la atrajo hacia sí y metió su mano de nuevo bajo el vestido, palpando su cuerpo caliente con la mano húmeda y fría.

–Una mujer como tú me hace morir de ganas de tocarla –dijo con una voz gutural–. Quédate otro minuto.

Ella sintió con qué fuerza repentina la deseaba de nuevo.

–No, tengo que apurarme –dijo de una forma un tanto exaltada.

–Sí –contestó él, cambiando instantáneamente de tono, y la soltó.

Ella se dio la vuelta para irse, pero inmediatamente se volvió de nuevo hacia él, diciendo sólo:

–Bésame.

Se inclinó hacia ella sin llegar a distinguir bien y la besó en el ojo izquierdo. Ella le presentó la boca y él la besó suavemente, pero se retiró enseguida.

No le gustaban los besos en la boca.

–Volveré mañana –dijo ella retirándose–; si puedo –añadió.

–¡Sí! Pero no tan tarde –dijo él desde la oscuridad. Ella ya no llegaba a verle.

–Buenas noches –murmuró ella.

–Buenas noches, señora –le contestó su voz.

Ella se detuvo y echó una mirada a la húmeda oscuridad. Sólo llegaba a distinguir su contorno.

–¿Por qué ha dicho usted eso?

–Por nada –contestó él–. Buenas noches, entonces; corre.

Ella desapareció en esa noche de un gris oscuro que parecía poder palparse. Encontró abierta la puerta lateral y desapareció en su habitación sin ser vista. Al tiempo que cerraba la puerta oyó el campanilleo que anunciaba la cena, pero se bañaría de todas formas, tenía que bañarse. "Pero no volveré a retrasarme –se dijo a sí misma–; es demasiado incómodo."

Al día siguiente no fue al bosque.

Tampoco fue al bosque aquel día ni al siguiente; ni el día después. Dejó de ir mientras presentía, o imaginaba que presentía al hombre esperándola, deseándola. Pero al cuarto día se sintió terriblemente incómoda e inquieta. A pesar de todo, seguía negándose a ir al bosque y abrir sus muslos una vez más para el hombre. Pensó en todas las cosas posibles que podía hacer –conducir hasta el pueblo, visitar a alguien–, y rechazaba la idea de todas aquellas cosas. Por fin se decidió a dar un paseo; no hacia el bosque, sino en dirección opuesta; iría a una granja próxima, pasando por la pequeña puerta de hierro al otro lado del muro del parque. Era un día gris y tranquilo de primavera; hacía casi calor. Vagaba sin rumbo fijo, absorta en pensamientos de los que no era siquiera consciente. En realidad no era consciente de nada fuera de sí misma, hasta que la asustó el potente ladrido del perro de la granja.

Salió repentinamente de su ensimismamiento con un leve grito de temor. Alguien la interceptó. Un hombre. Era el guarda. Estaba en medio de la senda, cortándole el paso.

–¿Pero qué es esto? –exclamó él sorprendido.

–¿Cómo aparece usted aquí? –jadeó ella.

–¿Y usted? ¿Ha estado en la choza?

–¡No! ¡No! He andado por ahí.

La miró con curiosidad, inquisitivo, y ella bajó la cabeza algo avergonzada.

–Y ahora, ¿iba a la choza? –preguntó con una cierta tozudez.

–¡No! No puedo. He estado un rato en la granja vecina. Nadie sabe dónde estoy. Me he retrasado. Tengo que apurarme.

–Evitándome, ¿eh? –dijo él con una ligera sonrisa irónica.

–¡No! ¡No! No es eso. Sólo que...

–Entonces ¿qué es? –inquirió él.

Y se acercó a ella y la rodeó con los brazos. Costi sintió la parte delantera de su cuerpo enormemente cercana al suyo, y viva.

–Ahora no, ahora no –exclamó, tratando de rechazarlo.

–¿Por qué no? Son sólo las seis. Le queda media hora. ¡Sí! ¡Sí! Me hace falta.

La apretó fuertemente contra sí y ella sintió de pronto un deseo urgente. Su instinto la llevaba a luchar por liberarse. Pero algo en ella se iba haciendo extraño, inerte y pesado. El cuerpo de él apremiaba contra el suyo y cualquier ánimo de resistencia la abandonó.

Él miró en torno.

–¡Ven... ven aquí! Por aquí –dijo, echando una mirada penetrante a la espesura de los abetos aún jóvenes y de poca altura.

Se volvió a mirarla. Pero ella ya no tenía fuerza de voluntad. Sentía un extraño peso en sus extremidades. Estaba abandonándose, aceptando.

La condujo a través del muro de árboles casi hirientes, difícil de penetrar, hasta un lugar donde había un pequeño espacio abierto y un montón de ramas secas. Apartó unas cuantas y tendió sobre las otras el saco y el chaleco; ella tuvo que tumbarse allí, bajo las ramas del árbol, como un animal, mientras él esperaba de pie en pantalón y camisa, mirándola con ojos ávidos. Pero le hizo tomar, precavido, una postura mejor, más cómoda. Y, sin embargo, rompió la cinta de su ropa interior porque ella no lo ayudaba, y simplemente estaba allí tendida, inmóvil.

También él había desnudado la parte delantera de su cuerpo y ella sintió su carne desnuda cuando la penetró. Durante un momento permaneció inmóvil dentro de ella, erecto y palpitante. Luego, cuando comenzó a moverse, en el repentino e inevitable orgasmo, se despertaron en ella nuevas y extrañas sensaciones que la encrespaban. Como ondas, como el aleteo insistente de suaves llamas, tan suaves como la pluma, deshaciéndose en puntitos brillantes, exquisitos, y fundiéndola hasta convertirla toda ella por dentro en un fluido. Era como un suave ruido de campanillas ascendiendo hasta una culminación. Siguió echada, sin conciencia de los pequeños gritos que emitió al final. Pero había terminado demasiado pronto, demasiado pronto, y ya no pudo llegar a forzar su conclusión con su propia actividad. Aquella vez había sido diferente, tan diferente... No podía hacer nada. No podía endurecerse y aferrarse a él para llegar a su propia satisfacción. Sólo quedaba esperar, esperar y quejarse interiormente cuando lo sintió retirarse, retirarse y contraerse, llegando al terrible momento en que se deslizaría fuera de ella y todo habría concluido. Mientras todo su vientre seguía abierto y suave, reclamando dulcemente, como una anémona bajo las olas, reclamando que volviera a entrar y le produjera la satisfación de la consumación del placer. Se apretó a él, inconsciente de pasión, y él no llegó a salir por completo; sintió su suave capullo agitándose en su interior y los extraños ritmos que ascendían hasta ella en un movimiento creciente y extrañamente acompasado, dilatándose y dilatándose hasta llenar toda su conciencia fragmentada, y luego comenzando de nuevo aquel movimiento indescriptible que no era realmente movimiento, sino puros remolinos de sensaciones cada vez más profundas que calaban cada vez más hondo en sus tejidos y en su mente, hasta llegar a convertirla en un fluido perfectamente concéntrico de sentimientos y quedar yacente entre gritos involuntarios e inarticulados. ¡La voz de lo más profundo de la noche, la voz de la vida! El hombre los escuchaba con una especie de temor, mientras su vida se inyectaba en ella. Y a medida que se iba calmando, fue distendiéndose él también y permaneció en una absoluta inmovilidad, mientras su presión sobre ella iba aflojándose lentamente hasta quedar inmóvil a su lado.

Y siguieron allí echados sin saber nada, ni siquiera el uno del otro, perdidos ambos. Hasta que por fin él comenzó a incorporarse y ella a darse cuenta de que el cuerpo de él iba perdiendo la proximidad al suyo. Se estaba separando; pero dentro de su corazón se daba cuenta de que no podía soportar que la dejara sin el goce amoroso. Debía hacerla gozar desde ahora y para siempre.

Él se retiró finalmente y la besó, la cubrió y comenzó a vestirse él mismo. Ella estaba tendida, mirando hacia las ramas del árbol, incapaz de moverse aún. Él se puso en pie y se abrochó los pantalones, observando a su alrededor. Todo era espesura y silencio, a excepción de la perra como absorta, con el hocico entre las patas delanteras. Él volvió a sentarse sobre las ramas y tomó la mano de Costi en silencio.

Ella se volvió entonces y lo contempló.

–Esta vez hemos acabado juntos –dijo él.

Ella no contestó.

–Está muy bien cuando eso sucede. La mayor parte de la gente vive toda una vida y no llega a saber lo que es eso –agregó, hablando como en un ensueño.

Ella miró su cara embelesada.

–¿Es cierto? –murmuró– ¿Estás contento?

Él la miró a los ojos.

–Contento, sí, pero no hablemos ahora.

No quería entrar en una conversación. Se inclinó sobre ella y la besó, y ella sintió que debería permanecer besándola así siempre.

Al final Costi se sentó.

–¿No suele acabar la gente al mismo tiempo? –preguntó con una curiosidad ingenua.

–Muchos nunca. Se ve en la sequedad de sus caras.

Hablaba de mal modo, lamentando haber empezado.

–¿Has acabado de esta manera con otras mujeres?

La miró un tanto divertido.

–No lo sé –dijo–. No lo sé.

Y ella se dio cuenta de que nunca le contaría nada que no quisiera contarle. Lo miró a la cara, y la pasión que sentía por él penetró hasta sus entrañas.

Se resistía a aquel sentimiento hasta donde era capaz, porque significaba la entrega de sí misma. Él se puso el chaleco y el saco y abrió de nuevo el camino hasta el sendero.

Los últimos rayos horizontales de sol caían sobre el bosque.

–No te acompañaré –dijo–; será mejor que no.

Ella lo miró ardientemente antes de volver. La perra esperaba impaciente que él se pusiera en marcha, y ella parecía no tener nada que decir. Nada más.

Costi regresó lentamente a la casa, descubriendo la profundidad de aquella otra cosa que había en ella. Otro yo había surgido a la vida, ardiendo, diluido y suave en su vientre y en sus entrañas. Un nuevo yo que comenzaba a adorar, una adoración que hacía temblar sus rodillas mientras andaba. En su vientre y en sus entrañas había ahora un nuevo flujo de vida, y se había hecho vulnerable e indefensa como la más ingenua de las mujeres en su amor por ese hombre. "Parece como si fuera un niño" –se dijo a sí misma–; "es como si llevara un niño dentro". Aquélla era la sensación, como si su vientre, que siempre había estado cerrado, se hubiera abierto y llenado de una nueva vida, tal vez una carga, pero sin embargo adorable.

"¡Si tuviera un niño!" –pensó para sí–. "¡Si lo tuviera a él dentro de mí como si fuese un niño!"

Y sus miembros se ablandaron al imaginar esto y se dio cuenta de la inmensa diferencia entre tener un hijo para una sola y tener un hijo de un hombre a quien se llamaba desde lo más profundo de las entrañas. Lo primero parecía muy sencillo en cierto modo, pero tener un hijo de un hombre a quien se adoraba con las vísceras y desde el vientre le hacía advertir que eso era muy diferente a como ella había sido en su antigua personalidad; como si estuviera sumergiéndose profundamente, profundamente, hacia el centro de toda femineidad y hacia el sueño de la creación.

No era la pasión lo que era nuevo para ella, era la adoración sin límites. Se dio cuenta de que siempre había temido algo así, porque la dejaba sin defensas; aun ahora lo temía, porque si llegaba a adorarlo en exceso desaparecería ella, se borraría, y no quería comenzar a borrarse, convertirse en una esclava, como si fuese una esclava salvaje. Temía la adoración que sentía por él y sin embargo no estaba dispuesta a luchar inmediatamente contra aquel sentimiento. Sabía que podía resistirse. Alimentaba una obstinación demoníaca en su pecho capaz de combatir toda la suave y ardiente adoración de su vientre y diluirla. Incluso ahora era capaz de hacerlo, o por lo menos lo creía: dominar su pasión y controlarla a voluntad.

Así, en el flujo del nuevo despertar, la pasión dura y antigua ardió en ella durante algún tiempo; pero cuando sentía aquello en su corazón se agobiaba bajo el peso. Se resistía, aquello era algo conocido y yermo, estéril; la adoración era su tesoro. Era algo tan inefable, tan suave, tan profundo y desconocido... no, no, renunciaría a su firme y brillante fuerza de mujer; estaba harta de ella, endurecida por ella; se sumergiría en el nuevo baño vital, en las profundidades de su propio vientre y en sus entrañas que entonaban el cantar mudo de la adoración. Era pronto aún para comenzar a temer al hombre.

Esa noche Costi se acostó muy tarde, después de jugar a las cartas con Rodolfo. Y estaba en la cama profundamente dormida cuando comenzó a amanecer.

A su vez el guardabosque, después de dejarla a ella, había cerrado las jaulas, había hecho su ronda nocturna por el bosque y luego había ido a su casa y cenado. Pero no se acostó. En lugar de ello se sentó pensativo junto al fuego.

Tras estar sentado en un estupor de amargos pensamientos sobre los dos hasta medianoche, se levantó de repente de la silla y recogió el saco y la escopeta.

–Vamos, chiquita –dijo a la perra–. Estaremos mejor afuera.

Era una noche estrellada pero sin luna. Hizo una ronda lenta, escrupulosa, con pasos suaves y furtivos. Lo único que tenía que combatir eran los lazos para conejos que ponían los cazadores furtivos.

Pero era la época de cría e incluso aquellos hombres la respetaban un poco. De todas formas aquella búsqueda callada aliviaba sus nervios y eliminaba los pensamientos de su cabeza.

Pero una vez recorrida su demarcación lenta y cautelosamente –una caminata de casi cinco kilómetros–, se sintió cansado. Subió a la cumbre de la colina y permaneció mirando. No se oía ruido alguno, apenas había luces encendidas. El mundo dormía penumbroso y humeante. Era un mundo incómodo, cruel, agitado por el ruido de un tren o algún camión grande en la carretera.

Hacía frío y él tosía. Una brisa fina y fría azotaba la colina. Pensó en la mujer. En aquel momento habría dado todo lo que tenía o incluso lo que podría llegar a tener por estrecharla tiernamente entre sus brazos, envueltos ambos en una manta y dormidos. Todas sus esperanzas de eternidad, todo lo adquirido en el pasado, todo lo habría dado por tenerla allí, envuelta con él en una sola manta, con calor y dormidos, simplemente dormidos. Parecía que dormir con la mujer en sus brazos era su única necesidad.

Fue a la choza, se envolvió en la manta y se acostó a dormir en el suelo. Pero no pudo hacerlo por el frío. Y además sentía cruelmente su propia naturaleza insatisfecha. Sentía cruelmente su propia condición incompleta de soledad. La necesitaba a ella, necesitaba tocarla, apretarla contra sí en un momento de plenitud y de sueño.

Se levantó de nuevo y salió, esta vez hacia las puertas del parque; luego, lentamente, por el sendero que conducía a la casa. Eran casi las cuatro, con tiempo claro y frío todavía, pero sin rastros aún del amanecer. Estaba acostumbrado a la oscuridad y podía ver bien.

8

Costi fue directamente al bosque después de comer. Hacía realmente un día magnífico, con los primeros dientes de león abiertos como soles y la blancura de las primeras margaritas. El matorral de avellanos era como un encaje de hojas a medio abrir. Los geranios amarillos eran ahora muy abundantes, abiertos por completo, con el brillo del amarillo nuevo. Allí estaba el amarillo, el potente amarillo de principios de verano. Y las prímulas eran anchas, poseídas de un pálido abandono; prímulas apelotonadas que habían perdido esa timidez de los pimpollos. El verde lujurioso y oscuro de los jacintos era como un mar con los capullos elevándose como el trigo pálido, mientras en el camino de herradura los nomeolvides surgían por todas partes y se descubrían pedacitos de caparazón de huevos de gorrión bajo un matorral. ¡Por todas partes los capullos y el impulso pleno de la vida!

El guarda no estaba en la choza. Había serenidad en todo. Los pollitos marrones correteaban alegres.

Costi siguió andando hacia la casa porque quería verlo.

La casa estaba al sol, justo al lado exterior del confín del bosque. En el pequeño jardín los narcisos dobles se elevaban en ramos junto a la puerta abierta de par en par, y las anémonas bordeaban el sendero. Se oyó el ladrido de un perro y *Flossi* llegó corriendo.

¡La puerta estaba abierta de par en par! Así que estaba en casa. La luz del sol bañaba el suelo de ladrillo rojo. Al ascender por el sendero lo vio a través de la ventana, sentado a la mesa en mangas de camisa y comiendo. La perra gemía suavemente y movía apenas la cola.

Él se levantó y llegó a la puerta limpiándose la boca con un pañuelo rojo, masticando todavía.

–¿Puedo entrar? –dijo ella.

–¡Adelante!

El sol iluminaba la habitación desnuda, que olía aún a costillas de cordero cocinadas en una sartén puesta al fuego; y al lado, sobre el fogón blanco, estaba la cacerola negra para las papas, colocada sobre un pedazo de papel.

El fuego estaba al rojo, algo bajo, la cadena suelta y el puchero del agua cantando.

Su plato estaba sobre la mesa con papas y restos de las costillas; había también pan en una cesta, sal y una jarra azul con cerveza. El mantel era de hule blanco; él se mantenía en la penumbra.

–Va muy retrasado –dijo ella–. Siga comiendo.

Ella se sentó al sol en una silla de madera junto a la puerta.

–Tuve que ir a la ciudad –dijo él sentándose a la mesa, pero sin seguir comiendo.

–Coma –dijo ella.

Pero él no tocó la comida.

–¿Quiere tomar algo? –preguntó él–. ¿Quiere una taza de té? El agua está hirviendo.

Se levantó a medias de la silla.

–Si lo permite, lo prepararé yo misma –dijo ella incorporándose.

Él parecía triste y ella se dio cuenta de que lo estaba molestando.

–Bueno, la tetera está ahí –señaló un pequeño armario gris en el rincón, y las tazas–. El té está en la repisa, encima de su cabeza.

Ella tomó la tetera negra y la lata de té del estante. Enjuagó la tetera con agua caliente y se quedó un momento dudando sin saber dónde vaciarla.

–Tírela afuera –dijo él dándose cuenta–. Está limpia.

Se acercó a la puerta y echó el agua al camino. Era un lugar encantador, tan tranquilo. Los robles empezaban a colorear sus hojas de un ocre amarillento.

–Esto es maravilloso –dijo ella–. Un silencio tan hermoso, todo está vivo y callado.

Él estaba comiendo de nuevo, lentamente y de mala gana; ella pudo darse cuenta de que había perdido el ánimo. Hizo el té en silencio y puso la tetera en la repisa interior de la chimenea, como sabía que hacía la gente. Él corrió el plato hacia un lado y fue a la habitación de atrás; luego volvió con un queso y un pote de manteca.

Ella puso las dos tazas en la mesa; las únicas que había.

–¿Quiere una taza de té? –dijo.

–Por favor. El azúcar está en el armario y hay una jarrita para la leche. La leche está en una jarra en la despensa.

–¿Le quito el plato? –preguntó ella.

Él la miró con una sonrisa ligeramente irónica.

–Sí, si quiere –dijo, comiendo lentamente pan y queso.

Ella fue a la parte de atrás, a la galería de la pileta de lavar, donde estaba la bomba de agua. A la izquierda había una puerta, sin duda la de la despensa. La abrió y sonrió ante lo que él llamaba una despensa: no era más que un largo y estrecho armario pintado a la cal. Pero cabían allí un pequeño barril de cerveza, algunos platos y algo de comida.

Tomó algo de leche de la jarra amarilla.

–¿De dónde saca la leche? –preguntó ella cuando volvió a la mesa.

–Unos vecinos me dejan una botella al final del cercado.

Se lo veía desanimado.

Ella sirvió el té, luego levantó la jarrita de la leche.

–Leche no –dijo él.

Luego creyó oír un ruido y miró fijamente hacia la puerta.

–Quizá será mejor que cerremos –dijo él.

–Sería una lástima –contestó ella–. No va a venir nadie, ¿no?

–Sólo muy rara vez, pero nunca se sabe.

–Y aun así no importa –dijo ella–. No es más que una taza de té. ¿Dónde están las cucharas?

Él extendió el brazo y abrió el cajón de la mesa.

Costi estaba sentada junto a la mesa, al sol que entraba por la puerta.

–*¡Flossi!* –dijo él a la perra, que estaba tumbada en una esterilla al pie de la escalera–. ¡Busca, busca!

Levantó el dedo y su "¡busca!" fue cortante. La perra salió a husmear.

–¿Está usted triste hoy? –preguntó ella.

Él volvió rápido hacia ella sus ojos azules y la miró directamente.

–¡Triste! No, ¡aburrido! He tenido que ir a denunciar a dos cazadores furtivos que atrapé, y, bueno... no me gusta la gente.

Ahora hablaba más fríamente. Había cierta ira en su voz.

–¿No le gusta ser guardabosque? –preguntó ella.

–¿Guardabosque? ¡Claro que me gusta! Siempre que me dejen tranquilo. Pero cuando tengo que ir a perder el tiempo a la policía y a otros sitios y esperar a que me atiendan un montón de idiotas... bueno, me enfurezco... –Y sonrió con un ligero humor.

–¿No podría independizarse? –preguntó ella.

–¿Yo? Supongo que podría; si lo que me pregunta es que si lograría sobrevivir con la pensión. ¡Sí, podría! Pero tengo que trabajar en algo o me muero. Es decir, tengo que tener algo que me mantenga ocupado. Y me falta ilusión para trabajar para mí mismo. Así que, en general, estoy muy bien aquí. Especialmente en los últimos tiempos...

Se rió de nuevo, mirándola con un humor burlón.

–¿Pero está de mal humor? –preguntó ella– ¿Quiere decir que siempre está de mal humor?

–Casi siempre –dijo él riendo–. No dejo de hacerme mala sangre.

–¿Por qué? –dijo ella.

–¡Me hago mala sangre! –repitió él–. ¿No sabe lo que es eso?

Quedó silenciosa y desengañada. Él no le hacía ningún caso.

–El mes que viene me iré durante algún tiempo –dijo ella.

–¡Se va! ¿Adónde?

–A Venecia.

–¡Venecia! ¿Con el señor Rodolfo? ¿Cuánto tiempo?

–Un mes o algo así –contestó ella–. Rodolfo no va.

–¿Se quedará aquí? –preguntó él.

–¡Sí! No le gusta viajar en su estado.

–¡Claro, pobre tipo! –dijo él compadeciéndolo. Hubo una pausa.

–No me olvidará cuando me vaya, ¿no? –preguntó ella.

Él levantó de nuevo la mirada y la dirigió hacia ella de lleno.

–¿Olvidar? –dijo él–. Ya sabe que nadie olvida. No es cuestión de memoria.

Ella quería preguntar: "¿Entonces de qué es cuestión?" Pero no lo hizo. En lugar de ello dijo con voz apagada:

–Le he dicho a Rodolfo que quizá tenga un niño.

Ahora la miró de verdad, con ojos tensos e inquisitivos.

–¿De verdad? –dijo por fin–. ¿Y qué le dijo él?

–Oh, que no le importaría. En realidad lo alegraría, siempre que pareciera suyo.

No se atrevía a mirarlo.

Él permaneció en silencio durante mucho tiempo, luego volvió a mirarla a la cara.

–Desde luego no le ha dicho nada de mí –dijo él.

–No. No le he dicho nada de usted –dijo ella.

–No. Dudo que me aceptara como progenitor sustituto. Entonces, ¿de dónde se supone que va a salir ese niño?

–Podría tener una aventura amorosa en Venecia –dijo ella.

–Podría –contestó él lentamente–. ¿Es por eso por lo que se va?

–No para tener una aventura amorosa –dijo mirándolo suplicante.

–Para aparentarlo, entonces –dijo él.

Se produjo un silencio. Él estaba sentado, mirando por la ventana, con una mueca poco pronunciada en su rostro, un gesto entre la burla y la amargura. Ella detestaba aquella mueca.

–¿O sea, que no ha tomado ninguna precaución para no tener un hijo? –preguntó él de repente–. Porque yo no las he tomado.

–No –dijo ella con voz apagada–. Ni me hubiera gustado.

Él la miró y luego volvió a mirar por la ventana con aquella mueca peculiar y sutil. Se produjo un silencio lleno de tensión.

Al final se volvió hacia ella y dijo sarcástico:

–¿Para eso me quería entonces, para tener un hijo?

Ella dejó caer la cabeza.

–No, realmente no –dijo ella.

–¿Entonces realmente para qué? –preguntó él con tono mordaz. Ella le dirigió una mirada llena de reproches, diciendo:

–No lo sé.

Él estalló en una carcajada.

–Pues que me maten si lo sé yo –dijo.

Hubo una larga pausa de silencio, un frío silencio.

–Bien –dijo por fin–. Que sea como la señora prefiera. Si tiene usted el hijo, que le aproveche al señor Rodolfo. Yo no habré perdido nada. ¡Por el contrario, he tenido una experiencia muy pero muy agradable, desde luego!

Y se estiró como conteniendo un bostezo.

–Si me ha utilizado usted –prosiguió–, no es la primera vez que me utilizan; y creo que no ha sido nunca tan agradable como esta vez; aunque, desde luego, no es como para estar tremendamente orgulloso de ello.

Se volvió a estirar, de forma curiosa, con los músculos temblando y la mandíbula extrañamente desencajada.

–Pero yo no lo he usado –dijo ella casi implorante.

–A las órdenes de la señora –dijo él.

–No –dijo ella. Y agregó, tuteándolo–: me gustaba tu cuerpo.

–¿Ah sí? –contestó él y se echó a reír–. Bien, entonces estamos en paz, porque a mí me gustaba el suyo.

La miró con ojos extraños y oscuros.

–¿Le gustaría subir arriba ahora? –preguntó él con una voz rara, ceñida.

–¡No, aquí no!, ¡ahora no! –replicó Costi pesadamente, aunque si él hubiese utilizado cualquier presión sobre ella habría cedido, porque ante ese hombre se encontraba indefensa.

Él volvió la cara de nuevo y pareció olvidarse repentinamente de ella.

–Quiero tocarlo como usted me toca a mí –dijo ella, volviendo a tratarlo de usted–. Nunca he tocado realmente su cuerpo.

Él la miró y volvió a sonreír.

–¿Ahora? –preguntó.

–¡No! ¡Aquí no! En la choza. ¿No le importa?

–¿Cómo la toco yo? –preguntó.

–Como cuando recorre mi cuerpo con los dedos.

Él la miró y se encontró con sus ojos cargados y anhelantes.

–¿Y le gusta cuando le paso los dedos por la piel? –preguntó, todavía sonriente.

–Sí, ¿y a usted? –dijo ella.

–¡Ah, a mí...!

Entonces cambió de tono.

–Sí –prosiguió–; lo sabe sin necesidad de preguntarlo.

Cosa que era verdad.

Ella se levantó entonces y recogió el sombrero.

–Tengo que irme –dijo.

–¿Ya se va? –preguntó él muy cortésmente.

Ella quería que él la tocara, que le dijese algo, pero él no dijo nada, y sólo se limitó a esperarla.

–Gracias por el té –dijo ella.

–Todavía no le he dado las gracias a la señora por haber honrado mi tetera –dijo él.

Ella descendió por el sendero y él se quedó en la puerta con una mueca imperceptible. *Flossi* llegó corriendo con el rabo en movimiento. Y Costi tuvo que seguir avanzando confusa hasta llegar al bosque. Sabía que él la estaba observando con aquella mueca incomprensible en la cara.

Fue andando hacia la casa, afligida y derrotada. Le molestaba que él dijera que lo había utilizado; porque en algún sentido era verdad. Pero él no debería haberlo dicho. Y así, de nuevo, se encontró indecisa entre dos sentimientos: el resentimiento contra él y el deseo de hacer las paces.

Tomó el té irritada e incómoda y subió inmediatamente

después a su habitación, pero una vez allí todo era inútil; no podía estar ni de pie ni sentada. Tendría que tomar una resolución. Tendría que volver a la choza; y si él no estaba allí tanto mejor.

Se escabulló enseguida por la puerta lateral y se puso en camino directamente, un tanto deprimida. Al llegar al claro se sentía terriblemente incómoda. Pero allí estaba él de nuevo, en mangas de camisa, agachado, dejando salir a las gallinas de las jaulas, entre los polluelos, que al crecer se habían hecho algo más torpes, aunque continuaban siendo más vivos que los polluelos de gallina. Fue directamente hacia él.

–Ya ve que he venido –dijo.

–¡Sí, ya lo veo! –dijo él, enderezando la espalda y mirándola levemente divertido.

–¿Deja salir ahora a las gallinas? –preguntó ella.

–Si, han estado sentadas en sus nidos hasta casi morir de hambre –dijo él–. Y ahora han perdido las ganas de salir y de comer. Una gallina clueca no vive más que para los huevos o sus pollitos.

Pobres gallinas madres; ¡cuánto amor y qué ciego amor!, ¡incluso con pichones que no son suyos!

Costi las miró compadecida. Se produjo un silencio agobiante entre el hombre y la mujer.

–¿Entramos a la choza? –preguntó él.

–¿Me desea? –replicó ella con cierta desconfianza.

–Sí, si quiere venir.

Ella se quedó callada.

–¡Vamos entonces! –dijo él.

Y ella fue con él a la choza. Todo quedó totalmente a oscuras al cerrar la puerta.

Él encendió una luz tenue, como había hecho antes.

–¿Ha venido sin ropa interior? –preguntó él.

–¡Sí!

–Entonces voy a desnudarme también.

Tendió las mantas, dejando una a un lado para taparse. Ella se quitó el sombrero y se estiró el cabello. Él se sentó, quitándose los zapatos y las medias y desabotonándose los pantalones de pana.

–¡Acuéstese! –dijo él, de pie, con la camisa puesta.

Ella obedeció en silencio y él se echó a su lado, luego extendió la manta sobre los dos.

–¡Eso es! –dijo él.

Y levantó completamente su vestido hasta llegar a los pechos. Los besó suavemente, apresando los pezones entre los labios en delicadas caricias.

–¡Eres maravillosa, eres maravillosa! –dijo, frotando su cara contra el vientre cálido en un movimiento de ternura.

Y ella echó los brazos en torno a él bajo la camisa, pero estaba asustada, atemorizada de su cuerpo fino, suave, desnudo, que parecía tan fuerte; asustada de los músculos violentos. Se replegó con miedo.

Y cuando él repitió con una especie de ligero gemido "¡Eres maravillosa!", ella se estremeció y algo en su mente se endureció resistiéndose: un endurecimiento ante la presión de la intimidad física, ante el extraño vértigo de su posesión. Y aquella vez el agudo éxtasis de su propia pasión no pudo con ella; permaneció con las manos inertes sobre el cuerpo agitado de él; por mucho que lo intentara, su espíritu parecía estar observando todo desde alguna orilla, desde una posición por encima de su cabeza, y entonces las sacudidas de las caderas del hombre le parecían ridículas, y esa especie de exasperación de su pene por llegar a una crisis que se resolvería en un ínfimo derrame parecía una farsa. Sí, aquello era el amor, aquel meneo ridículo de las nalgas y después el abrupto decaimiento del pobre, insignificante, húmedo y diminuto pene. ¡Aquél era el divino amor!

Fría y casi despreciativa, se mantuvo al margen de aquello que le sucedía, y aunque adoptó una perfecta inmovilidad, sentía el impulso de levantar las caderas y expulsar al hombre, de escapar a su siniestra extremidad, a la embestida y al cabalgamiento de sus absurdas nalgas. Su cuerpo le parecía algo desquiciado, impúdico, imperfecto, un tanto repugnante, inacabado, torpe.

Y sin embargo, cuando él hubo terminado poco después y se quedó muy, muy quieto, refugiándose en el silencio, inmóvil y distante, lejos, más allá del horizonte de la conciencia de ella, su corazón comenzó a llorar. Lo sentía ir alejándose de ella como un reflujo, dejándola allí como una caracola en la playa. Se estaba estirando, abandonándola en espíritu. Él lo sabía. Y con una pena real, atormentada al mismo tiempo por sus pensamientos y su reacción ante ellos, comenzó a lagrimear. Él no hizo nada, o quizá ni siquiera se dio cuenta. La tormenta del llanto fue creciendo y la hizo estremecerse a ella y advertirlo a él.

–¡Sí! –dijo él–. No nos ha salido bien esta vez. No estabas aquí.

¡Así que lo sabía! Sus gemidos se tornaron intensos.

–¿Pero qué importa? –dijo él–. Eso es algo que pasa de vez en cuando.

–No... no puedo quererte –gimió ella, sintiendo de repente su corazón destrozado.

–¿No puedes? ¡No sufras por eso! No hay ninguna ley que te obligue a quererme. Tómalo tal cual es.

Él seguía tendido con la mano sobre el pecho de ella. Pero ella había dejado de tocarlo con las suyas.

Sus palabras no sirvieron de consuelo. Ella comenzó a sollozar abiertamente.

–¡No, no! –dijo él–. Las que se van por las que se vienen. Ésta ha sido de las que se van.

Ella lloraba amargamente entre sollozos.

–Pero quiero quererte y no puedo. Y eso me parece horrible.

Él soltó una risa breve, entre amargo y divertido.

–No es horrible –dijo–, aunque tú creas que lo es. Y no puedes hacer que sea horrible. No te preocupes si me quieres o no. Eso es algo que no se consigue con proponérselo. Siempre hay una almendra amarga en la cesta. Hay que tomar las buenas con las malas.

Retiró la mano de su pecho, dejando de tocarla.

Y ahora que nadie la tocaba empezó a sentir una satisfacción casi perversa por todo aquello. No le importaba que él se pusiese de pie si le daba la gana, frente a ella, abotonándose aquellos absurdos pantalones de pana. Por lo menos Miguel había tenido la delicadeza de volverse. Aquel hombre estaba tan seguro de sí mismo que no se daba cuenta de que para los demás era un ser tosco y patético.

Y, sin embargo, cuando se apartó para incorporarse en silencio y dejarla, se aferró aterrorizada a él.

–¡No te vayas! ¡No te vayas! ¡No me dejes! ¡No te enojes conmigo, apriétame fuerte! ¡Apriétame! –susurró con un frenesí ciego, sin saber siquiera qué estaba diciendo y agarrándose a él con una fuerza desesperada.

Era de ella misma de quien quería que la salvaran, de su propia ira y resistencia interiores. ¡De aquel irresistible rechazo interior que se apoderaba de ella!

Volvió él a tomarla entre sus brazos, la atrajo hacia sí y de repente ella se volvió pequeña en el abrazo, pequeña y agradecida. Había desaparecido la resistencia, había desaparecido y empezó a diluirse en un maravilloso estado de paz. Y mientras iba disolviéndose, Costi, diminuta y hermosa en sus brazos, se iba haciendo infinitamente deseable para él; todos sus vasos sanguíneos parecían en ebullición por un intenso y tierno deseo hacia ella, de su suavidad, de la intensa belleza de esa mujer en sus brazos, inundando su sangre. Y delicadamente, con aquella maravillosa caricia ausente de su mano, en un deseo puro y leve, delicadamente acarició la pendiente sedosa de sus caderas, bajando y bajando entre sus nalgas tiernas y tibias, llegando más y más cerca de su verdadero centro vital. Y ella lo sentía como con una llamarada de deseo, tierno al mismo tiempo, y se sentía fundir en aquella llama. Se abandonó. Sintió su pene elevándose contra ella con una fuerza silenciosa, deslumbrante y potente, y se entregó a él. Cedió con un estremecimiento como de agonía y se abrió por completo a él. ¡Qué crueldad si ahora no fuera tierno con ella, porque estaba abierta a él por entero, e indefensa!

Se estremeció de nuevo ante su potente e inexorable entrada dentro de ella, tan extraña y terrible. Y de pronto se replegó con un repentino miedo casi horrorizada. Pero entró él con un lento empuje de paz, con el oscuro impulso de la paz y una ternura intensa y primordial. Y el horror desapareció de su pecho, que al fin tuvo el valor de entregarse en paz, sin reservas. Y tuvo ánimos para darse a todo, toda ella a merced de la corriente.

Y parecía que ella misma era como el mar, como olas oscuras alzándose y creciendo, ampliándose en un gran impulso, de forma que lentamente toda su oscuridad se puso en movimiento y ella era un océano caracoleando en su enorme masa silenciosa. Ah, y muy en lo profundo de su interior, las profundidades se agitaban y removían en oleadas amplias e interminables. Una y otra vez, en lo más vivo de sí, las profundidades se agitaban y removían en oleadas amplias e interminables. Una y otra vez, en lo más vivo de sí, las profundidades se separaban y se volvían a unir de nuevo desde el centro de esa suave inmersión, mientras el que penetraba iba más y más y más profundo, tocaba cada vez más abajo y ella se presentaba al descubierto más y más y más, y sus oleadas, con mayor potencia, se alejaban hacia alguna orilla dejándola al descubierto, y más y más cerca llegaba en su inmersión el extraño visitante, y más y más lejos desaparecían sus olas, dejándola en soledad, hasta que de repente, en una convulsión suave y estremecida, el núcleo mismo de su ser sintió el contacto, la consumación se extendió sobre ella y ella se fue. Se fue, no estaba... y había renacido la mujer.

¡Ah, qué magnífico, qué hermoso! En el reflujo fue consciente de la maravilla. Ahora todo su cuerpo se apretaba con un amor tierno al hombre desconocido, y ciegamente se adhería al pene amansado que tan tiernamente, tan frágil, tan sin conciencia, retrocedía tras el fiero empuje de su potencia original. Cuando se retiraba y abandonaba su cuerpo aquella cosa secreta y sensible, ella emitió un grito inconsciente de pura pérdida y trató de volverlo a su lugar. ¡Había sido tan perfecto! ¡Tanto había sido el placer!

Sólo entonces se dio cuenta de la reticencia y ternura diminutas, del pene, y un leve grito de maravilla y enervamiento se le escapó de nuevo, con su corazón de mujer expresando la tierna fragilidad de lo que antes había sido sólo potencia.

–¡Ha sido tan maravilloso! –gimió–. ¡Ha sido tan maravilloso!

Pero él no dijo nada, simplemente la besó con dulzura, todavía tendido sobre ella. Y ella gimió con una especie de beatitud, como la víctima del sacrificio, como algo que acaba de nacer.

Y entonces despertó en su corazón la extraña admiración hacia él. ¡Un hombre! ¡La extraña potencia de la virilidad sobre ella! Sus manos vagaron sobre él, con un cierto miedo aún. Miedo a aquella cosa extraña, hostil, ligeramente repulsiva, que él había sido para ella: un hombre. Y entonces lo tocó. ¡Qué tacto tan hermoso! ¡Qué adorable, qué adorablemente fuerte, y al mismo tiempo puro y delicado, qué quietud del cuerpo sensible! ¡Qué absoluta quietud de potencia y carne delicada! ¡Qué belleza! ¡Qué belleza! Recorrió temerosamente su espalda con las manos hasta llegar a las suaves y reducidas esferas de las nalgas. ¡Una belleza! ¡Qué belleza!

Una llamarada repentina de una nueva conciencia penetró en ella. ¿Cómo era posible que hubiera tanta hermosura en aquello que antes sólo le había causado repulsión? ¡La indecible belleza del tacto de las nalgas templadas y vivas! La vida en la vida, la hermosura cálida y llena de vigor. ¡Y la extraña presencia de los testículos entre sus piernas! ¡Qué misterioso! ¡Qué extraña carne cargada de misterio! Eran las raíces; la raíz de todo lo adorable, la raíz primigenia de toda belleza plena.

Se apretó a él con un gemido susurrante de admiración que parecía casi de espanto, y de terror. Él la mantenía con firmeza, sin decir nada. Nunca decía nada. Ella se apretó aún más, y más, sólo para estar más cerca aún de su milagro de sensualidad. Y en aquella absoluta, incomprensible quietud, volvió a sentir la lenta, impetuosa, erecta ascensión del miembro de él, la otra potencia. Y su corazón se derritió con un temor incierto.

Y aquella vez el estar dentro de ella fue toda suavidad e iridiscencia, una pura suavidad de arco iris por encima de cualquier conciencia. Todo su ser se estremeció, inconsciente y vivo como una palpitación.

No llegaba a saber lo que era. No lograba recordar lo que había sido. Sólo que superaba en delicia a cualquier cosa imaginable. Eso nada más. Y luego permaneció en una calma absoluta, totalmente olvidada de sí misma, ausente sin saber por cuánto tiempo. Y él seguía con ella. Acompañándola en un silencio indescriptible, del que no hablarían nunca.

Cuando de algún modo volvió a la conciencia del mundo exterior, ella se pegó a su pecho, murmurando:

–¡Mi amor! ¡mi amor!

Él la abrazaba en silencio. Ella se acurrucó en su pecho: aquello era algo absolutamente perfecto.

Pero su silencio era impenetrable. Sus manos la sujetaban, inmóviles y ajenas.

–¿Dónde estás? –susurró ella–. ¿Dónde estás? ¡Háblame! ¡Dime algo!

Él la besó suavemente, murmurando:

–¡Sí, cariño!

Pero ella no sabía qué quería decir, no sabía a dónde se le había ido. En su silencio parecía perdido para ella.

–Me amas, ¿no? –murmuró.

–¡Sí, ya sabes que sí! –le dijo él.

–¡Pero dímelo otra vez! –suplicó ella.

–¡Sí! ¡Sí! ¿No te has dado cuenta? –dijo él con voz apagada, pero suave y seguro.

Y ella se apretó contra él, más cerca aún. En el amor él era mucho más suave que ella, y ella quería que él la tranquilizara.

–¡Me amas! –susurró ella con toda seguridad.

Y sus manos la acariciaron delicadamente, como si fuera una flor, sin el estremecimiento del deseo, con una delicada proximidad. Pero a pesar de todo ella seguía sintiendo la inquieta necesidad del amor como tabla de salvación.

–¡Dime que me querrás siempre! –le rogó ella.

–¡Sí! –dijo él distraídamente.

Y ella se dio cuenta de que sus preguntas no hacían más que alejarlo.

–¿No sería mejor que nos levantáramos? –dijo él por fin.

–¡No! –susurró ella.

Pero podía oír su inquietud interior, se daba cuenta de que escuchaba atentamente los ruidos de afuera.

–Debe ser casi de noche –dijo él.

Y ella advirtió el peso de las circunstancias en el tono de su voz. Lo besó con el desengaño de una mujer que renuncia a un momento de felicidad.

Él se levantó, encendió otra luz, y comenzó a vestirse. Luego se quedó allí de pie, dominándola, abotonándose los pantalones y mirándola con sus ojos abiertos y oscuros, con la cara un tanto enrojecida y el pelo en desorden, curiosamente cálido y tranquilo y hermoso a la luz difusa de las luces; tan hermoso que ella nunca le diría hasta qué punto lo era. Le hacía sentir deseos de aferrarse a él firmemente, de tenerlo en los brazos, porque había en su belleza una distancia cálida, como de ensueño, que hacía que ella sintiera la necesidad de gritar, de sujetarlo, de poseerlo.

Y así permanecía sobre la manta, con sus caderas curvadas, de una suave desnudez, y él no podía saber en qué estaba pensando. Pero para él era, a pesar de todo, aquella cosa bella, delicada, maravillosa, en la que podía entrar más allá de toda otra cosa.

–Te amo a ti y también entrar en ti –dijo entonces él.

–¿Me quieres? –dijo ella, sintiendo que le palpitaba el corazón.

–Todo se ha arreglado con poder entrar en ti. Te quiero por haberte abierto. Te quiero por haber entrado en ti así.

Se inclinó y besó su suave cadera, frotó la mejilla contra ella y luego la tapó.

–¿No me dejarás nunca? –dijo ella.

–No preguntes esas cosas –dijo él.

–Pero sí crees que yo te quiero –dijo ella.

–Ahora me has querido más de lo que tú podrías imaginarte. ¡Pero quien sabe lo que pasará cuando empieces a pensar en ello!

–¡No, no digas esas cosas! Y no es verdad que pienses que yo te he estado utilizando, ¿o sí?

–¿Cómo?

–Para tener un hijo.

–Actualmente todo el mundo puede tener un niño cuando se le ocurra –dijo mientras se sentaba tironeándose de las medias.

–¡Ah, no! –gritó ella–. ¿De verdad lo crees?

–¡Eh... bueno! –dijo él mirándola con el ceño fruncido–. Esta vez ha sido la mejor.

Ella siguió tendida en silencio. Él abrió la puerta con cuidado. El cielo era de un azul oscuro con un reborde turquesa de cristal. Salió a recoger las gallinas, hablando pausadamente con su perra. Y allí tendida, Costi se maravillaba ante el milagro de la vida y del ser.

Cuando volvió seguía tendida, deslumbrante como una gitana.

Él se sentó en la banqueta a su lado.

–Tienes que venir una noche entera a mi casa antes de irte, ¿lo harás? –preguntó mirándola y enarcando las cejas con las manos entre las rodillas.

–¿Lo harás? –dijo ella, imitando su forma de hablar, en broma.

Él se sonrió.

–Sí, ¿lo harás? –repitió él.

–¡Sí! –consintió ella.

–Y dormir conmigo –dijo él–. Hay que hacerlo. ¿Cuándo vienes?

–Quizá el domingo –dijo ella.

–¡Quizás el domingo! ¡Eso!

Y sonrió contemplándola.
–No, no puedes –protestó él.
–¿Por qué no puedo? –protestó ella.
Él soltó una carcajada.
–¡Vamos, tienes que irte!
–¿En serio? –dijo ella.
Él se inclinó, acariciándole suavemente la cara. Ella se incorporó entonces y lo besó entre los ojos, que le parecían tan oscuros y tan indeciblemente tiernos, tan irresistiblemente bellos.
–¿Es verdad...? –dijo ella– ¿De verdad te importo?
Él la besó sin contestar.
–Tienes que irte; déjame que te limpie –dijo él.
Su mano recorrió las curvas de su cuerpo, con firmeza, sin deseo, con un conocimiento suave e íntimo.
Mientras corría hacia la casa, con la última luz, el mundo parecía un sueño; los árboles del parque parecían esponjarse y temblar, y la inclinación de la cuesta que subía a la casa parecía haber cobrado vida.

9

El domingo, Rodolfo quería ir al bosque. Hacía una mañana hermosa. Las flores de los perales y de los ciruelos se habían abierto imprevistamente al mundo en un disperso milagro de blancos.

Muy pronto pasaron el estrecho camino que llevaba a la choza. Afortunadamente no era bastante ancho para la silla de ruedas: apenas lo suficiente para una persona. La silla llegó al fondo de la pendiente y giró para desaparecer luego. Costi oyó un ligero silbido a sus espaldas. Miró ávidamente alrededor: el guarda bajaba la colina hacia ella seguido por su perra.

–¿Va el señor Rodolfo hacia mi casa? –le preguntó mirándola a los ojos.

–No, sólo hasta el manantial.

–¡Ah! ¡Bien! Entonces no tiene que verme. Pero yo te veré esta noche. Te esperaré en la valla alrededor de las diez.

La volvió a mirar directamente a los ojos.

–Sí –articuló susurrando ella.

Oyeron la bocina de la silla de ruedas de Rodolfo llamando a Costi.

Ella respondió con un *"¡Uuuh!"*

Esa noche, ella volvió a su habitación en cuanto pudo y se acostó muy temprano. Pero a las nueve y media volvió a levantarse y salió a escuchar al exterior. No se oía nada. Se deslizó en camisón y bajó. Rodolfo y la señora Bolton jugaban a las cartas por dinero. Probablemente seguirían jugando hasta la medianoche.

Costi volvió a su habitación, tiró su camisón sobre la cama deshecha y se puso un vestido de lana. Se calzó unos zapatos y se echó por encima un abrigo liviano. Si se encontraba con alguien diría que iba a salir un rato. Y por la mañana, cuando volviera, diría que había ido a dar un corto paseo al amanecer. El único peligro era que alguien entrara a su habitación durante la noche. Pero aquello era poco probable.

Ella salió en silencio y sin que la viese nadie. Cuando llegó cerca de la cancela oyó el ruido de la cerradura. ¡Él estaba allí en la oscuridad del bosque y la había visto!

–Qué bien, y a tiempo –dijo él desde la oscuridad–. ¿No ha pasado nada?

–Nada, nada.

Cerró la puerta en silencio tras ella e iluminó una mínima parcela del suelo descubriendo las flores pálidas, todavía abiertas en la noche. Avanzaron separados el uno del otro y en silencio.

Un poco después ella vio una luz amarilla a lo lejos.

Se detuvo.

–¡Allí hay una luz! –dijo.

–Siempre dejo una luz en casa –dijo él.

Siguió andando a su lado, pero sin tocarlo. Preguntándose por qué iba con él, después de todo.

Él abrió la puerta y entraron. Cerró la puerta con llave. "¡Como una cárcel!" pensó ella. El puchero cantaba al fuego y había tazas sobre la mesa. Ella se sentó en el sillón de madera, al lado de la chimenea. Se agradecía el calor tras el frío de la noche.

–Voy a quitarme los zapatos, están húmedos –dijo Costi.

Se quedó sentada con los pies desnudos sobre el guardafuegos de hierro. Él fue a la despensa y volvió con algo de comida: pan, queso y un poco de fiambre.

Ella tenía calor ahora: se quitó el abrigo y lo colgó detrás de la puerta.

–¿Qué prefieres beber: ¿café, té o chocolate? –inquirió él.

–No, nada, gracias –dijo ella mirando hacia la mesa–. Pero come tú.

–No, no tengo ganas. Voy a darle de comer a la perra.

Recorría el piso de ladrillo con una tranquila determinación, echando la comida de la perra en un plato de barro cocido. El animal lo miraba inquieto.

–¡Sí, aquí está la comida, no me mires como si te fuera a dejar morir de hambre! –le dijo.

Colocó el cacharro sobre la esterilla que había al pie de la escalera y se sentó en una silla junto a la pared para quitarse las medias y las botas. La perra, en lugar de comer, se acercó a él de nuevo y se quedó mirándolo desconcertada.

Él comenzó a desatarse lentamente los cordones de las botas. La perra se le acercó algo más.

–¿Qué es lo que te pasa ahora? ¿Te molesta que tengamos visita? ¡Eres una mujer, eso es lo que eres! Vete a comer.

Le puso la mano en la cabeza y la perra la reclinó cariñosamente contra ella. Él acarició la oreja sedosa, lenta y suavemente.

–¡Bien! –dijo– ¡Ya está bien! ¡Ahora vete a comer!

Volvió su silla hacia el cacharro de la comida y la perra fue obediente y comenzó a comer.

–¿Te gustan los perros? –preguntó Costi.

–No, realmente no. Los encuentro demasiado obedientes y pegajosos.

Se había quitado las medias y continuaba desatándose las pesadas botas. Costi se había vuelto de espaldas al fuego. ¡Qué vacía estaba la habitación!

Pero sobre la cabeza de él había una horrorosa foto ampliada de un matrimonio joven. En apariencia eran él y una mujer de aspecto descarado, sin duda su esposa.

–¿Ése eres tú? –preguntó Costi.

Él se volvió y miró la ampliación que colgaba sobre su cabeza.

–¡Sí! Nos la tomaron justo antes de casarnos, cuando tenía veintiún años.

–¿Te gusta? –preguntó Costi.

La miró imperturbable.

–¿Gustarme? ¡No! Nunca me gustó. Fue ella quien la encargó –respondió, volviendo a ocuparse de sus botas.

–Si no te gusta, ¿por qué la sigues teniendo colgada? Quizá a tu mujer le gustaría tenerla.

La miró con una mueca burlona repentina.

–Arrasó con todo lo que podía tener algún valor en la casa. ¡Y dejó eso!

–¿Entonces por qué la conservas? ¿Por razones sentimentales?

–No, no la miro nunca. Ya casi ni sabía que estaba ahí. Ha estado colgada en ese lugar desde que vine a vivir aquí.

–¿Por qué no la quemas? –dijo ella.

Él se volvió de nuevo y retornó a observar la ampliación. Estaba enmarcada en marrón y oro, horrorosa. Mostraba a un hombre muy joven, recién afeitado y despierto, con un cuello de camisa más bien alto, y a una mujer joven, algo regordeta y descarada, con el pelo rizado y una blusa de raso.

–No sería mala idea, ¿verdad? –dijo él.

Se había quitado ya las botas y se había calzado unas zapatillas. Se puso de pie en la silla y quitó la foto. Quedó un recuadro grande y desteñido sobre el papel verdoso de la pared.

–No vale la pena quitar ahora el polvo –dijo, colocando el objeto contra la pared.

Fue a la despensa y volvió con el martillo y las tenazas. Sentándose en la misma silla de antes, comenzó a rasgar el papel de la parte de atrás del gran marco y a arrancar las puntas que sujetaban el cartón trasero. Trabajaba con aquella concentración tranquila y absorta que era típica de él. Pronto logró sacar todas las puntas; luego tiró del cartón y por fin de la ampliación misma con su sólida montura blanca. Contempló la fotografía divertido.

–Aquí estoy como era, un joven seminarista, y ella como era, una leona –dijo él–. ¡El mosquita muerta y la leona!

–¡Déjame ver! –dijo Costi.

Él tenía, desde luego, un aspecto afeitado y muy limpio; uno de aquellos jóvenes tan impecables de hacía veinte años. Pero incluso en la foto sus ojos eran despiertos y audaces. Y la mujer no era del todo lo que podía llamarse "una leona", a pesar de la potencia de la mandíbula. Había cierto atractivo en ella.

–Nunca debieran guardarse estas cosas –dijo Costi.

–¡Claro que no habría que guardarlas! ¡Ni siquiera habría que hacerlas!

Rompió la foto de la cartulina y la carpeta sobre la rodilla, y cuando los trozos fueron lo suficientemente pequeños, los echó al fuego.

–Acabará con el fuego –dijo.

Se llevó cuidadosamente arriba el cartón y el marco. A martillazos deshizo el marco haciendo saltar los trozos de madera con yeso. Luego dejó las piezas en la despensa.

–Lo quemaré mañana –afirmó–. La moldura tiene demasiado yeso.

Desembarazado de aquello, volvió a sentarse.

–¿Querías a tu mujer? –preguntó ella.

–¿Amor? –dijo él–. ¿Amabas tú acaso al señor Rodolfo?

Pero ella no estaba dispuesta a quedarse sin una respuesta.

–¿Pero le tenías algún apego? –insistió.

–¿Apego? –Hizo una mueca.

–No vale la pena quitar ahora el polvo –dijo, colocando el objeto contra la pared.

Fue a la despensa y volvió con el martillo y las tenazas. Sentándose en la misma silla de antes, comenzó a rasgar el papel de la parte de atrás del gran marco y a arrancar las puntas que sujetaban el cartón trasero. Trabajaba con aquella concentración tranquila y absorta que era típica de él. Pronto logró sacar todas las puntas; luego tiró del cartón y por fin de la ampliación misma con su sólida montura blanca. Contempló la fotografía divertido.

–Aquí estoy como era, un joven seminarista, y ella como era, una leona –dijo él–. ¡El mosquita muerta y la leona!

–¡Déjame ver! –dijo Costi.

Él tenía, desde luego, un aspecto afeitado y muy limpio; uno de aquellos jóvenes tan impecables de hacía veinte años. Pero incluso en la foto sus ojos eran despiertos y audaces. Y la mujer no era del todo lo que podía llamarse "una leona", a pesar de la potencia de la mandíbula. Había cierto atractivo en ella.

–Nunca debieran guardarse estas cosas –dijo Costi.

–¡Claro que no habría que guardarlas! ¡Ni siquiera habría que hacerlas!

Rompió la foto de la cartulina y la carpeta sobre la rodilla, y cuando los trozos fueron lo suficientemente pequeños, los echó al fuego.

–Acabará con el fuego –dijo.

Se llevó cuidadosamente arriba el cartón y el marco. A martillazos deshizo el marco haciendo saltar los trozos de madera con yeso. Luego dejó las piezas en la despensa.

–Lo quemaré mañana –afirmó–. La moldura tiene demasiado yeso.

Desembarazado de aquello, volvió a sentarse.

–¿Querías a tu mujer? –preguntó ella.

–¿Amor? –dijo él–. ¿Amabas tú acaso al señor Rodolfo?

Pero ella no estaba dispuesta a quedarse sin una respuesta.

–¿Pero le tenías algún apego? –insistió.

–¿Apego? –Hizo una mueca.

–Quizá se lo tienes ahora –dijo ella.

–¡Yo! –sus ojos se dilataron–. Ah no, no puedo ni pensar en ella –dijo con calma.

–¿Por qué?

Pero él sacudió la cabeza.

–¿Entonces por qué no te divorcias? Un día volverá contigo –dijo Costi.

Él la miró agudamente.

–No se acercaría ni a un kilómetro de mí. Me odia mucho más que yo a ella.

–Ya verás cómo vuelve contigo.

–Eso no lo hará nunca. ¡Todo ha terminado! Me sacaría de quicio volver a verla.

–La verás. Ni siquiera están legalmente separados, ¿no?

–No.

–Ah, entonces volverá, y tendrás que aceptarla.

Él miró a Costi fijamente. Luego sacudió extrañamente la cabeza.

–Puede que tengas razón. Es una tontería que yo haya vuelto aquí. Pero me sentía perdido y tenía que ir a alguna parte. Un hombre no es más que un vagabundo insignificante que va adonde lo lleva el viento. Pero tienes razón. Me divorciaré y asunto terminado. Me repugnan esas cosas como la peste: los funcionarios, los tribunales y los jueces. Pero habrá que aguantarse. Conseguiré el divorcio.

Ella vio cómo apretaba la mandíbula y se sintió interiormente feliz.

–Creo que ahora voy a tomar esa taza de té –dijo Costi.

Él se levantó a prepararlo. Su cara permanecía inmóvil. Cuando estuvieron sentados a la mesa, ella preguntó:

–¿Por qué te casaste con ella? La señora Bolton me ha hablado de ella. Dice que no ha entendido nunca por qué te casaste.

La miró fijamente.

–Te lo diré. Tuve la primera chica a los dieciséis años. Era la hija de un maestro de la ciudad donde nací, bella, realmente hermosa. Yo tenía fama de ser un muchacho listo que había estudiado, con conocimientos de algo de francés y alemán; y, en fin, me sentía superior. Ella era ese tipo de chica romántica que desprecia la vulgaridad. Me llevó hacia la poesía y la lectura: de alguna forma me convirtió en un hombre. Leía y pensaba sin parar, todo por ella. Yo estaba empleado en una oficina, era delgado, pálido, vivía enfrascado en aquellas lecturas. Y hablaba con ella de todo aquello, absolutamente de todo. Éramos la gente más culta y más entendida en literatura en diez kilómetros a la redonda. Yo estaba deslumbrado por ella, absolutamente deslumbrado. Vivía en las nubes. Y ella me adoraba. Pero la serpiente oculta entre la hierba era el sexo. Yo me quedaba cada vez más delgado y más loco. Entonces le dije que teníamos que ser amantes. La convencí como de costumbre. Así que me dejó hacerlo. Yo estaba muy excitado, pero ella no tenía ganas. Ninguna en absoluto. Me adoraba, le encantaba que le hablara y la besara: en ese sentido sentía verdadera pasión por mí. Pero lo otro... nada, no quería. Y hay montones de mujeres como ella. Pero era justamente lo otro lo que yo quería. Por eso nos separamos. Fui cruel y la dejé. Entonces comencé con otra chica, una maestra que había organizado un escándalo por estar relacionada con un hombre casado y volverlo casi loco. Era una mujer suave, de piel blanca, muy suave, mayor que yo, y tocaba el violín. Era un demonio. Le gustaba todo del amor, excepto el sexo. Apretarse, acariciarse, saltar sobre uno de cualquier forma inimaginable, pero si se la obligaba al sexo no hacía más que apretar los dientes y escupir odio.

Yo la forcé a hacerlo y estuvo a punto de aniquilarme con su odio por ello. Así que otra vez en las mismas. Estaba harto de todo aquello. Yo buscaba una mujer que me deseara y que quisiera hacerlo. Entonces apareció Berta. La familia vivía en la casa de al lado cuando yo era un niño, así que los conocía mucho. Eran gente vulgar. Bueno, pues Berta se había ido a no sé qué sitio en una ciudad vecina; ella decía que de dama de compañía de una señora, y alguien dijo que de camarera o de algo en un hotel. Sea como fuese, cuando yo estaba más que harto de la otra chica, y ya tenía veintiún años, vuelve Berta de repente, dándose importancia, con buena ropa y una especie de exotismo, una especie de despertar sensual que se nota enseguida, sea en una mujer o en quien sea. Yo estaba que podía matar a alguien. Mandé al demonio el trabajo en la oficina porque pensé que iba a apolillarme si seguía allí de chupatintas, y me metí de maestro herrero en mi pueblo: casi siempre herrando caballos. Había sido el trabajo de mi padre y yo siempre lo había ayudado. Era un trabajo que me gustaba, andar entre caballos, y era algo natural para mí. Seguía leyendo libros en casa, pero trabajaba de herrero, tenía un cochecito con un caballo y me sentía el rey del mundo. Mi padre me dejó una pequeña suma al morir. Y así me metí con Berta y estaba feliz de que fuera vulgar. Yo quería que fuera vulgar. También yo quería ser vulgar. Bueno, nos casamos y la cosa no nos fue tan mal. Con ella no había problemas. Ella quería guerra, y yo estaba más contento que un potro. Aquello era lo que me hacía falta: una mujer que quería que le hiciese el amor. Así que no paraba de hacerlo. Yo creo que llegó a despreciarme por estar tan contento y por llevarle a veces el desayuno a la cama. Empezó a ocuparse menos de las cosas; ni siquiera me tenía una cena decente cuando llegaba a casa del trabajo, y si decía algo se enfurecía conmigo. Yo me defendía con uñas y dientes. Ella me tiraba una taza y yo la agarraba del cuello y casi la estrangulaba.

¡Así estaban las cosas! Ella me trataba con insolencia. La historia llegó a tal punto que no quería acostarse conmigo cuando yo tenía ganas: nunca. Siempre me rechazaba de la manera más brutal. Luego, cuando me había enfriado y ya no tenía ganas, venía haciendo carantoñas para hacerme el amor. Y yo aceptaba. Pero cuando la tenía no lograba nunca el éxtasis al mismo tiempo que yo. ¡Nunca! Esperaba para tardar más. Si yo me contenía media hora, ella más. Y cuando yo lo sentía y acababa de verdad, entonces empezaba ella por su cuenta y yo tenía que quedarme dentro hasta que ella llegaba al orgasmo dando gritos, meneándose, y agarrándose allí abajo hasta acabar perdida en el éxtasis. Y luego decía "¡Ha sido maravilloso!" Poco a poco me fui hartando: ella estaba peor cada vez. De alguna manera era más y más difícil de satisfacer y me destrozaba ahí abajo, como si fuera un pico arrancándome trozos de carne. ¡Santo cielo, uno se imagina que ahí abajo una mujer es suave! Pero te juro que esas locas tienen dientes entre las piernas y te desgarran hasta acabar contigo. ¡Yo! ¡Yo! ¡Yo! ¡No piensan más que en sí mismas y gritan y te sacan la piel a tiras! Hablan del egoísmo de los hombres, pero no es nada comparado con la agresión ciega de las mujeres una vez que empiezan. ¡Como una puta vieja! Y no lo podía evitar. Yo se lo dije, le dije que no lo soportaba. Y entonces hacía incluso un intento de mejorar. Trataba de quedarse quieta y dejarme a mí manejar el asunto.

Lo intentaba. Pero no servía de nada. Llegó un momento en que yo ya no quería que viniera a mi habitación. No quería. No lo aguantaba. Y ella me odiaba. ¡Dios, cómo me odiaba antes de nacer la niña! A veces creo que la concibió por odio. De todas formas, después de nacer nuestra hija, la dejé en paz.

Luego vino la guerra y me alisté. Y ya no volvería, hasta saber que estaba viviendo con un individuo.

Dejó de hablar. Estaba muy pálido.

–¿Y cómo es ese hombre? –preguntó Costi.

–Una especie de hombre grande muy infantil y muy mal hablado. Ella le pega y beben los dos.

–¡Mala cosa sería que volviera!

–¡Ni lo digas! Yo me iría, desaparecería de nuevo.

–Así que cuando encontraste a una mujer que te deseaba –dijo Costi–, descubriste que era demasiado.

–¡Sí! ¡Eso parece! Pero aún así la prefería a ella a aquellas otras de "no me toques": el amor blanco de mi juventud, aquel lirio envenenado de las demás.

–¿Y las demás? –dijo Costi.

–¿Y las demás? No hay más. Sólo que en mi experiencia la gran masa de las mujeres es así: la mayor parte de ellas quieren tener un hombre, pero no quieren el sexo; lo que pasa es que lo aceptan como parte del precio de la relación. Las más anticuadas se entregan por las buenas sin hacer nada y dejan que tú te despaches. Luego les da igual, y te quieren. Pero la cosa misma no les importa nada, y hasta la encuentran de un cierto mal gusto. Y la mayor parte de los hombres les gusta también así. Yo no puedo aguantarlo. Pero cuando son astutas fingen no ser así aunque lo sean. Fingen ser apasionadas y excitarse, aunque es sólo una trampa. Mienten. Luego hay de ésas a las que les gusta todo, todas las sensaciones, todas las caricias, todas las formas de hacer el amor, excepto la normal. Siempre te hacen terminar cuando no estás en el único sitio donde debieras estar, en caso de que termines. Luego están las duras, las que no consigues hacer que lo sientan y se satisfacen a sí mismas, como mi mujer. Quieren ser la parte activa. Y hay también las que están muertas adentro, completamente muertas, y lo saben. Luego hay también las que te hacen salir antes de que acabes y siguen meneando las caderas, hasta acabar ellas contra tus muslos. Pero son casi siempre lesbianas. Es impresionante lo lesbianas que son las mujeres, consciente o inconscientemente. ¡A mí me parece que son casi todas lesbianas!

Estaba pálido y sus cejas se curvaban sombríamente.

–¿Y has lamentado que apareciera yo? –preguntó ella.

–Lo sentía y me alegraba.

–¿Y ahora?

–Lo siento exteriormente, por todas las complicaciones, las cosas feas y las recriminaciones que tienen que venir antes o después. Es entonces cuando se me cae el alma a los pies y estoy deprimido. Pero cuando me hierve la sangre estoy contento. A veces incluso triunfante. En realidad estaba amargándome. Creía que ya no quedaba sexo del de verdad, que nunca encontraría a una mujer que lo sintiera de forma natural con un hombre.

–¿Y ahora estás satisfecho de mí? –preguntó.

–¡Sí! Cuando soy capaz de olvidar todo lo demás. Cuando no soy capaz de olvidarlo me gustaría esconderme bajo la mesa y morir.

–¿Por qué bajo la mesa?

–¿Por qué? –se rió–. ¡Porque es un escondite, supongo! ¡Cosas de niño!

–Parece que has tenido experiencias horribles con las mujeres –dijo ella.

–Ya ves, no he sido capaz de engañarme a mí mismo, como hacen la mayor parte de los hombres. Adoptan una actitud y aceptan una mentira. Yo nunca he sido capaz de engañarme. Sabía lo que quería de una mujer y no era capaz de decir que me lo habían dado cuando no era verdad.

–¿Y ahora?

–Ahora parece que sí.

–¿Por qué estás entonces tan pálido y tan deprimido?

–Demasiados recuerdos. Y quizá estoy asustado de mí mismo.

Ella se quedó en silencio. Se estaba haciendo tarde.

–¿Y crees que es importante un hombre y una mujer? –le preguntó ella.

–Para mí lo es. Para mí lo más importante en la vida es tener la relación que hace falta con una mujer.

–¿Y si no la consiguieras?

–Tendría que arreglarme sin ella.

Volvió a reflexionar antes de preguntarle:

–¿Y crees que siempre has estado bien con las mujeres?

–¡Claro que no! Yo dejé que mi mujer se fuera por ese camino: culpa mía en gran parte. Yo la estropeé. Y soy muy desconfiado. Eso tienes que esperarlo de mí. Me cuesta mucho llegar a fiarme de alguien interiormente. Quizá yo también sea un fraude. No me fío. Y la ternura no debe confundirse con otra cosa.

Ella lo miró.

–No desconfías de tu cuerpo cuando te hierve la sangre –dijo ella–. No desconfías entonces ¿no?

–¡No, desde luego! Eso es lo que me ha causado todos los problemas. Y por eso es que mi cabeza no se fía de nada.

–Deja tu cabeza seguir siendo desconfiada. ¿Qué importa eso?

La perra gimió incómoda sobre la esterilla. Ahogado por la ceniza, el fuego se reducía.

–Somos dos guerreros derrotados –le dijo Costi.

–¿Tú también? –rió él–. ¿Y ahora estamos dispuestos de nuevo a la batalla?

–¡Sí! Y realmente estoy asustada.

Él se levantó y puso los zapatos de ella a secar, limpió su propio calzado y lo colocó junto al fuego. Por la mañana los lustraría con betún. Enseguida retiró lo más posible del fuego las cenizas de la foto. Luego trajo unos leños para reavivar el fuego por la mañana. A continuación salió un momento con la perra. Cuando volvió, Costi dijo:

–Voy a salir también un minuto.

Salió sola a la oscuridad. Había estrellas en el cielo. Podía oler el aroma de las flores en el aire de la noche. Y sus zapatos húmedos se humedecieron más aún. Tenía ganas de alejarse, de huir con él y de todo el mundo.

Hacía frío. Se estremeció y volvió a la casa. Él estaba sentado frente al fuego, ya muy tenue.

–¡Uff, que frío! –se estremeció ella.

Él echó la leña al fuego y fue por más hasta formar una hoguera chisporroteante que inundaba la chimenea. El ondular de las llamas los llenó a ambos de felicidad; calentaba sus caras y sus almas.

–¡No te preocupes! –dijo ella, tomándole la mano en su silencio y en su ensimismamiento–. Cada uno hace lo que puede.

–¡Sí! –contestó él con un esbozo de sonrisa.

Ella se acercó a él y se echó en sus brazos frente al fuego.

–¡Olvida entonces! –susurró–. ¡Olvida!

Él la apretó contra sí, al calor móvil del fuego.

La llama misma era como un olvido. ¡Y su peso, suave, cálido, maduro! Su sangre se puso lentamente en movimiento y fue ascendiendo hasta devolverle la fuerza y el vigor irreflexivo.

–Puede que esas mujeres quisieran de verdad estar allí y amarte como hay que amar, pero quizá no podían. Quizá no era sólo culpa suya –dijo ella.

–Ya lo sé.

Ella se apretó contra él de repente.

No deseaba haber empezado aquella conversación de nuevo. Pero una especie de perversidad la había llevado a ello.

–Pero ya no debes sentir culpa –dijo ella–. Ya no...

–Ya no sé qué sentir. Nos esperan días muy negros.

–¡No! –protestó ella apretándose contra él– ¿Por qué?

–Nos esperan días muy negros a nosotros –repitió él con un gran pesimismo.

–¡No! ¡No debes decir eso!

Él estaba en silencio. Pero ella podía sentir aquel negro vacío de la desesperación en su interior. Era la muerte de todo deseo, la muerte de todo amor: aquella desesperación era la caverna sombría que hay dentro de los hombres, en la cual se pierde su espíritu.

–Y hablas tan fríamente del sexo... –dijo ella–. Hablas como si sólo hubieras buscado tu propio placer y satisfacción.

Protestaba nerviosamente contra él.

–¡No! –dijo él–. Yo quería sacar placer y satisfacción de una mujer y nunca lo conseguí, porque no podía llegar a mi placer y a la satisfacción de ella a no ser que ella los tuviese de mí al mismo tiempo. Y eso no sucedió nunca. Los dos tienen que estar de acuerdo.

–Pero nunca creíste en tus mujeres. Ni siquiera crees de verdad en mí –dijo ella.

–No sé lo que significa creer en una mujer.

–¡Ahí lo tienes! ¿Lo ves?

Estaba todavía acurrucada en su regazo. Pero su espíritu

era gris y lejano, no estaba allí con ella. Y cada cosa que decía lo iba alejando más.

–¿Pero en qué es en lo que crees? –insistió ella.

–No lo sé.

–En nada, como todos los hombres que he conocido –dijo ella.

Estaban los dos en silencio. Luego él pareció exaltarse y dijo:

–¡Sí, creo en algo! Creo en el cariño. Creo especialmente en el cariño, en el amor, en hacer el amor con cariño. Creo que si los hombres fueran capaces de hacer el amor con cariño y las mujeres de aceptarlo con cariño, todo estaría bien. Es ese hacer el amor en frío lo que lleva a la muerte y no tiene sentido.

–Pero tú no me haces el amor en frío –protestó ella.

–No quiero herirte de ninguna manera. Ahora mismo tengo el corazón helado.

–¡Oh! –dijo ella besándole en broma–. Intentaremos calentarlo.

Él se sonrió y se sentó rígido en la silla.

–¡Es cierto! –dijo–. Todo por un poco de cariño. Pero eso a las mujeres no les gusta. Ni siquiera a ti te gusta en realidad. Te gusta hacer con todo el amor, salvaje, brutal y frío, y luego fingir que todo es dulce. ¿Dónde está tu ternura hacia mí? Te parezco tan sospechoso como el perro al gato. Te aseguro que es necesario que dos personas estén de acuerdo para llegar a la ternura y al cariño. A ti te gusta hacer el amor y no poco, pero no quieres que se le dé un nombre grande y misterioso, sólo para adular tu amor propio. Tu amor propio significa más para ti, cincuenta veces más, que cualquier hombre o que la compañía de cualquier hombre.

–Eso es exactamente lo que yo diría de ti. Tu amor propio lo es todo para ti.

–¡Sí! ¡Muy bien entonces! –dijo, empezando a moverse como para ponerse en pie–. Separémonos entonces. Prefiero morirme a volver a hacer el amor con esa frialdad.

Ella se apartó y él se puso en pie.

–¿Y crees que yo lo quiero? –inquirió ella.

–Espero que no –respondió él–. De todas formas, vete a la cama y yo dormiré aquí.

Lo miró. Estaba pálido y sombrío, tan lejano a ella.

Todos los hombres eran iguales.

–No puedo volver a casa hasta mañana por la mañana –dijo Costi.

–¿Cómo no? Vete a la cama. Es la una menos cuarto.

–Desde luego que no iré –dijo ella.

Él atravesó la habitación y recogió sus botas.

–¡Entonces me iré fuera! –exclamó él.

Empezó a ponerse las botas. Ella lo observó.

–¡Aguarda! –balbuceó–. ¡Aguarda! ¿Qué nos ha pasado?

Estaba inclinado, anudándose las botas, y no contestó. Pasaba el tiempo. Una especie de anonadamiento se apoderó de ella, hasta creía desvanecerse. Toda su lucidez se había desvanecido, y estaba allí, con los ojos muy abiertos, mirándolo desde lo ignoto, sin conciencia alguna de nada.

El silencio le hizo levantar la mirada a él y entonces la vio con los ojos muy abiertos y como perdida. Como si una ráfaga de viento lo hubiera arrastrado, se incorporó y se acercó inseguro a ella, con un solo zapato puesto, y la tomó entre sus brazos apretándola contra su cuerpo, que de alguna forma estaba traspasado por el dolor. Allí la mantuvo y allí se quedó ella.

Hasta que sus manos fueron bajando ciegamente, buscándola, tantearon bajo la ropa hasta dar con su suavidad y su calor.

–¡Pequeña! –murmuró–. ¡Cariño! ¡No discutamos! ¡No volvamos a discutir nunca! ¡Te amo, quiero tocarte! ¡No discutas conmigo! ¡No! ¡No! ¡No! Vamos a estar juntos.

Ella levantó la cara y lo miró.

–No te enojes –rogó ella con firmeza–. No sirve de nada enojarse. ¿De verdad quieres estar conmigo?

Lo miró a la cara con ojos firmes y muy abiertos. Él se detuvo y se quedó callado de repente, volviendo el rostro. Todo su cuerpo se quedó perfectamente inmóvil. Pero no se retiró.

Luego levantó la cabeza y la miró a los ojos con aquella mueca extraña y ligeramente burlona, diciendo:

–¡Sí, sí! Debemos estar juntos, pero jurando que lo estaremos en serio.

–¿Pero de verdad? –dijo ella con los ojos llenos de lágrimas.

–¡Sí, de verdad! Con vientre, con corazón y con todo nuestro sexo.

Seguía sonriendo ligeramente hacia ella, con un brillo de ironía en los ojos y un rastro de amargura.

Ella lloraba en silencio y él se acostó con ella y la penetró allí mismo sobre la alfombra, y así parecieron volver a una cierta calma. Luego fueron rápidamente a la cama porque empezaba a hacer frío y se habían agotado mutuamente. Ella se refugió en él, sintiéndose pequeña y hecha un ovillo. Los dos se durmieron inmediatamente, casi en un solo sueño. Así estuvieron acostados, sin moverse hasta que el sol se elevó sobre el bosque con el vestigio del día.

Él se despertó y miró la luz. Las cortinas estaban echadas. Escuchó la llamada salvaje de los mirlos y de los tordos en el bosque. Debía ser una mañana brillante; eran las cinco y media, su hora de levantarse. ¡Había dormido tan profundamente! ¡Era un día tan nuevo! La mujer estaba todavía acurrucada tiernamente en su sueño. Su mano se movió hacia ella y ella abrió sus ojos admirados y azules, sonriéndole inconscientemente.

–¿Estabas despierto? –le dijo ella.

Él la miraba a los ojos. Sonrió y la besó. De repente se incorporó y se quedó sentada.

–¡Hay que imaginarse que estoy aquí! –dijo ella.

Recorrió las paredes encaladas de la habitación con el techo inclinado y la ventana con las cortinas blancas echadas. La habitación estaba vacía, a excepción de una pequeña cómoda pintada de amarillo y una silla, y la pequeña cama blanca donde ella estaba acostada con él.

–¡Imaginarse que estamos aquí los dos! –repitió ella, mirándolo.

Él estaba acostado, mirándola, acariciando sus pechos con los dedos bajo el delicado camisón. Cuando estaba tan caliente y descansado parecía joven y hermoso. Sus ojos podían ser tiernos... y ella estaba fresca y joven como una flor.

–¡Quiero quitármelo! –dijo, tirando del fino camisón de batista y sacándoselo por la cabeza.

Se quedó sentada con los hombros desnudos y los pechos alargados, ligeramente dorados. A él le gustaba hacer oscilar suavemente sus senos, como campanas.

–¡Quítate todo tú también! –dijo ella.

–¡Ah, no!

–¡Sí, sí! –ordenó ella.

Se quitó su vieja camiseta de algodón y tiró de los pantalones hacia abajo. A excepción de las manos y las muñecas, el rostro y el cuello, estaba blanco como la leche, con una carne fina, esbelta, y musculosa. Para Costi era de repente de una hermosura penetrante de nuevo, como cuando lo había visto lavándose aquella tarde. El oro del sol caía sobre la cortina blanca. Ella sintió que quería entrar en la habitación.

–¡Oh, vamos a correr las cortinas! ¡Cómo cantan los pájaros! Deja que entre el sol –dijo ella.

Él se deslizó de la cama de espaldas a ella, desnudo, blanco y delgado, y fue hacia la ventana, deteniéndose un momento, corriendo las cortinas y mirando al exterior un instante. La espalda era blanca y fina, las pequeñas nalgas hermosas, con una virilidad exquisita y delicada; la nuca rojiza, delicada y sin embargo fuerte.

Había una fuerza interior, no exterior, en aquel cuerpo delicadamente fino.

–¡Qué hermoso eres! –dijo ella–. ¡Tan puro, tan fino! ¡Ven!.

Y extendió los brazos hacia él.

Le daba vergüenza volverse hacia ella a causa de su desnudez erecta. Tomó su camisa del suelo y se cubrió para acercarse a ella.

–¡No! –exclamó ella, extendiendo aún más los brazos hermosos y esbeltos desde sus pechos descendentes–. ¡Déjame verte!

Él dejó caer la camisa y se quedó quieto frente a ella. El sol, a través de la ventana baja, emitía un rayo que iluminaba sus muslos, su esbelto vientre y el miembro erecto, que se alzaba oscuro y caliente entre la pequeña nube de pelo de un rojo vivo dorado.

Ella estaba admirada y como atemorizada.

–¡Qué extraño! –dijo lentamente–. ¡Qué extraño parece! ¡Tan grande, tan oscuro, con esos aires de seguridad...! ¿Es de verdad así?

El hombre echó una mirada hacia la parte baja de su cuerpo blanco y esbelto y se rió. Entre los hombros estrechos su pelo era oscuro, casi negro. Pero en la raíz del vientre, donde surgía su miembro rígido y en arco, era de un dorado rojizo, formando una pequeña nube brillante.

–¡Tan orgulloso! –murmuró ella inquieta–. ¡Y tan señorial!

¡Ahora sé por qué los hombres son tan jactanciosos! ¡Pero es realmente encantador! ¡Como un ser aparte! ¡Un tanto atemorizador! ¡Pero encantador realmente! ¡Y viene hacia mí!

Se mordió el labio inferior entre los dientes con miedo y excitación.

El hombre miró en silencio su duro miembro erecto.

–¡Sí! –dijo al fin en voz baja–. ¡Sí, muchacho! Ahí estás muy bien. ¡Sí, puedes ir con la frente bien alta! Eres tu propio dueño ¿eh?, y no debes nada a nadie. Eres mi jefe. ¿Jefe mío? Bueno, tienes más arrojo que yo y hablas menos. ¿La quieres para ti? ¿Te quieres quedar con mi señora? Eres tú quien me ha hecho caer de nuevo, tú. Ah, ¿y te ríes? ¡A hacerle el amor! ¡Tienes que hacerle el amor a la señora! ¡Ah, descarado! ¡Una hendidura es lo que estás buscando! Dile a la señora que quieres una hendidura, la caliente hendidura de la señora.

–¡Oh, no le tomes el pelo! –dijo Costi, reptando de rodillas sobre la cama hacia él y echando los brazos en torno a sus tiernas caderas, atrayéndolo hacia sí de modo que sus pechos colgados y oscilantes tocaron la punta del miembro vibrante y erecto y recogieron la gota inicial de humedad. Se apretó contra el hombre.

–¡Acuéstate! –lo urgió–. ¡Acuéstate! ¡Quiero sentirlo!

También él tenía apuro ahora.

Y luego, después del reposo de la pausa, la mujer tuvo que destapar de nuevo al hombre para observar el misterio del miembro.

–¡Y ahora es chiquito y suave como un capullito de vida! –dijo, tomando en su mano el pene suave y pequeño–. ¿No es encantador? ¡Tan suyo, tan extraño! ¡Y tan inocente! ¡Y entra tanto dentro de mí! No debes increparlo nunca, ya lo sabes. Es mío también. No es sólo tuyo. ¡Es mío! ¡Y tan hermoso y tan inocente!

Y mantenía delicadamente el pene en la mano. Él reía.

–Bendito sea el lazo que une nuestros corazones en un solo amor –dijo él.

–¡Desde luego! –dijo ella–. Incluso cuando está suave y pequeño siento mi corazón unido sencillamente a él. ¡Y qué hermoso es aquí tu pelo! ¡Muy, muy diferente!

–¡Ése es el pelo de él, no el mío! –aseguró el guardabosque.

–¡El pequeño gigante! –murmuró ella. Y besó rápidamente el suave miembro, que comenzaba a excitarse de nuevo.

–¡Sí! –dijo el hombre, estirándose casi con dolor–. Tiene sus raíces en mi alma este caballero. Hay momentos en que no sé qué hacer con él. Es testarudo y a veces es difícil de contener, pero no me gustaría verlo muerto.

–¡No me extraña que los hombres siempre hayan tenido miedo a eso! –dijo ella–. Es un tanto terrible.

Un estremecimiento recorría el cuerpo del hombre y el flujo de la conciencia volvió a cambiar de nuevo de dirección, dirigiéndose hacia abajo. Y él no podía hacer nada mientras el miembro, con ondulaciones suaves y lentas, se iba llenando, emergía y se elevaba, endureciéndose y quedando en alto, duro y victorioso, de manera curiosamente dominante. La mujer temblaba también ligeramente al contemplarlo.

–¡Ahora! ¡Tómalo ahora! ¡Es tuyo! –dijo el hombre.

Y ella se estremeció y sintió cómo se diluía su mente. Olas cortantes y suaves de un placer indecible parecían recubrirla mientras él entraba en ella y comenzaba el curioso frotar de fuego, que se ampliaba y se ampliaba y la llevaba al último extremo con el empuje último y enceguecido.

Él oyó los ruidos distantes del pueblo. Era lunes por la mañana. Se estremeció ligeramente y apretó la cara entre sus tiernos pechos, tapándose con ellos los oídos para no seguir escuchando.

Ella ni siquiera había oído ni un solo rumor. Yacía en silencio, con el alma lavada y transparente.

–Tienes que levantarte –murmuró él.

–¿Qué hora es? –dijo con voz desvaída.

–Acaban de dar las siete.

–Me imagino que tendré que levantarme.

Le molestaba como siempre la imposición venida de afuera.

Él se sentó y miró con expresión ausente por la ventana.

–¿Me quieres o no me quieres? –preguntó ella tranquila.

Él la miró.

–Ya sabes lo que ya sabes. ¿Por qué lo preguntas? –dijo él un tanto desganado.

–Quiero que me tengas contigo, que no me dejes ir –dijo ella.

Los ojos de él parecían llenos de una penumbra cálida y suave, incapaces de pensar.

–¿Cuándo? ¿Ahora?

–En tu corazón ahora. Más tarde quiero venir a vivir contigo para siempre; pronto.

Él estaba sentado desnudo sobre la cama, con la cabeza baja, incapaz de pensar.

–¿No quieres tú? –preguntó ella.

–¡Sí! –asintió él.

Luego, con los mismos ojos oscurecidos por un nuevo impulso que casi se parecía al sueño, la miró.

–No me preguntes nada ahora –dijo–. Déjame así. Te quiero. Te amo así acostada. Una mujer es una maravilla cuando se le puede hacer el amor entrando hasta muy dentro, cuando su sexo es bueno. Te quiero, quiero a tus piernas, tu forma, tu manera de ser mujer. Quiero a la mujer que hay en ti. Te amo con todo el corazón. Pero no me preguntes ahora. No me hagas decir nada. Déjame así como estoy.

Luego me lo preguntarás todo. ¡Ahora déjame así, déjame así!

Y colocó suavemente la mano sobre su sexo, sobre su delicada mata castaña de mujer.

Estaba sentado, callado y desnudo sobre la cama, la cara en una casi absoluta inmovilidad. Inmóvil y con la llama invisible de otra conciencia, sentado con la mano sobre ella, esperando.

Poco después alargó el brazo para tomar la camisa y se la puso. Se vistió en silencio, la miró otra vez, tranquila, desnuda y ligeramente dorada. Se levantó enseguida y se fue. Ella lo oyó abrir la puerta abajo.

Siguió allí ensimismada. Era difícil irse: dejar sus brazos. Él gritó desde abajo: "¡las siete y media!" Ella suspiró y salió de la cama. ¡La habitación desnuda! No había nada más que la pequeña cómoda y la cama estrecha. El piso de tablas estaba muy limpio. Y en el rincón, junto a la ventana, había un estante con varios libros, algunos de una biblioteca ambulante. Miró. Había todo tipo de libros. ¡Vaya! Seguía siendo un lector después de todo.

A través de la ventana el sol caía sobre sus miembros desnudos. En el exterior vio a la perra vagando. El seto de avellanos era de un verde borroso con manchones de verde oscuro por debajo. Era una mañana clara y limpia, los pájaros revoloteaban y cantaban triunfalmente. ¡Si pudiera quedarse! ¡Si no existiera aquel otro mundo siniestro que abominaba! ¡Si él le hiciera un mundo!

Bajó las escaleras, aquellas escaleras de madera estrechas y empinadas. Aun así estaría feliz si tuviera aquella casa con tal de que fuera un mundo suyo.

Él estaba fresco y lavado; el fuego ardía.

–¿Quieres comer algo? –dijo él.

–¡No! Permíteme sólo un peine.

Lo siguió a la parte de atrás de la casa y se peinó ante el minúsculo espejo colgado de la puerta trasera. Ahora estaba lista para irse.

Se detuvo ante el matorral de margaritas empapadas de rocío, el macizo de clavelinas lleno de yemas.

–Me gustaría que desapareciera el resto del mundo –dijo–, y vivir contigo aquí.

–No desaparecerá –aseguró él.

Recorrieron casi en silencio el maravilloso bosque bañado por el rocío. Pero estaban juntos en un mundo que sólo les pertenecía a los dos.

Para ella fue amargo tener que seguir hasta su casa.

–Quiero venir pronto a vivir contigo –dijo ella al dejarlo.

Él sonrió sin contestar.

Ella llegó a la casa en silencio y sin que nadie la viera subió a su habitación.

10

Al día siguiente regresó a la choza del bosque. Se sentó y comenzó a hablar con el guardabosque sobre su viaje a Venecia.

–Cuando vuelva –le dijo ella–, podré decirle a Rodolfo que tengo que dejarlo. Y podremos irnos juntos. Ni siquiera hace falta que sepan que se trata de ti. Podemos irnos a otro país, ¿no te parece?

Estaba emocionada con su plan.

–Nunca has estado viviendo en el exterior, ¿no? –le preguntó él.

–¡No! ¿Y tú?

–He estado en varios lugares.

–¿Y por qué no podemos irnos a alguno?

–¡Podríamos! –consintió él lentamente.

–¿O no quieres ir? –preguntó ella.

–No me importa. No me importa demasiado lo que haga.

–¿No te parece bien? ¿Por qué no? No vamos a ser pobres. Tendremos una renta bastante buena al año. He escrito para consultarlo. No es mucho, pero es bastante.

–Para mí es suficiente.

–¡Oh, será maravilloso!

–Pero tendré que divorciarme, y tú también, si no queremos tener complicaciones.

Había no pocas cosas en qué pensar.

En otra oportunidad ella le preguntó por él mismo. Estaban en la choza un día de tormenta.

–¿No eras feliz cuando eras soldado?

–¿Feliz? Sí, lo era. Me gustaba mi oficial.

–¿Lo querías?

–¡Sí! Lo quería.

–¿Y él te quería a ti?

–¡Sí! En un cierto sentido él me quería.

–Háblame de él.

–¿Qué es lo que hay que contar? Había comenzado como soldado raso. Adoraba el ejército. Y no se había casado nunca. Tenía veinte años más que yo. Era un hombre apasionado a su manera y muy buen oficial. Mientras estuve con él sólo veía por sus ojos; de alguna manera lo dejaba organizar mi vida. Y nunca lo lamenté.

–¿Te afectó mucho su muerte?

–Estuve a punto de morir yo mismo. Cuando me recuperé me di cuenta de que una parte de mí había muerto también. Aunque siempre había sabido que acabaría por morir. Pasa con todo, por otra parte.

Ella seguía sentada cavilando. La tormenta retumbaba en el exterior. Era como si estuvieran en un minúsculo refugio en medio de una tormenta.

–Pareces haber vivido tanto... –dijo ella.

–¿Sí? A mí me parece que ya he muerto una o dos veces. Y, sin embargo, aquí estoy, saliendo adelante y dispuesto a caer otra vez.

Ella pensaba intensamente, sin dejar de escuchar la tormenta. Afuera diluviaba.

–¿Qué pasaría si tienes un hijo? –dijo ella de repente.

Él bajó la cabeza.

–Me parece una cosa amarga y equivocada traer un niño a este mundo.

–¡No! ¡No digas eso! –suplicó ella–. Creo que voy a tener uno. Dime que te gustará.

Puso su mano sobre la de él.

–Me gusta porque te gusta a ti –dijo él–. Pero a mí me parece una sucia traición a la criatura que tiene que nacer.

–¡Ah, no! –dijo ella conmovida–. ¡No puedes desearme de verdad! ¡No puedes desearme si eso es lo que sientes!

Él permaneció de nuevo en silencio con expresión adusta. Afuera se oía sólo el azote de la lluvia.

–¡No es verdad! –susurró ella–. ¡No es verdad del todo! Hay otra verdad.

Se daba cuenta de que él estaba amargado en parte porque ella se iba, porque deliberadamente se marchaba a Venecia. Y casi le gustaba su reacción.

Abrió sus ropas, dejó al descubierto su vientre y le besó el ombligo. Luego apoyó la mejilla en el vientre y estrechó sus brazos en torno a sus caderas calientes y silenciosas. Estaban solos en medio de un diluvio.

–¡Dime que quieres un hijo y que lo quieres con esperanza! –murmuró, apretando la cara contra su vientre–. ¡Dime que lo quieres!

–¡Ya! –dijo él por fin, y ella sintió el curioso estremecimiento de una nueva idea en su mente y de su cuerpo calmándose–. ¡Ya! A veces he pensado que podría intentarse.

Ella frotaba suavemente la mejilla contra su vientre y apretó sus testículos en la mano. El miembro se henchía suavemente, con una extraña vida, pero sin llegar a erguirse. La lluvia batía ruidosamente.

Entonces se produjo un silencio absoluto. Costi, como distraídamente, iba colocando en el pelo enrulado de la base de su vientre algunas nomeolvides que había recogido de camino a la choza. Afuera el mundo se había calmado y hacía algo de frío.

–Tienes cuatro clases de pelo –le dijo a él lánguidamente–. En el pecho es casi negro, el de la cabeza no es tan oscuro, pero el del bigote es duro y rojo oscuro, y el pelo de aquí, el pelo del amor, es como un cepillito de muérdago rojo, dorado y brillante. ¡Es el más bonito!

Él miró hacia abajo y vio los puntitos lechosos de las nomeolvides entre el pelo de su sexo.

–¡Sí! Ahí es donde hay que colocar las nomeolvides, en el sexo del hombre o de la mujer.

En el exterior cesaron poco después los truenos, pero la lluvia, que había cedido, volvió a batir de repente con un último fulgor de relámpagos y el murmullo de la tormenta que se alejaba. Costi estaba inquieta. Él parecía estar completamente abatido por la desesperación y ella se sentía feliz, sin espacio para esa desesperación. Ella sabía que su partida, de la que él sólo ahora se daba plenamente cuenta en su interior, le había llevado a un estado de abatimiento. Y para Costi, aquélla era una pequeña victoria.

Ella abrió la puerta y se quedó mirando la lluvia pesada y vertical, como una cortina de acero. Sintió un impulso repentino de correr hacia la lluvia, de huir. Se levantó y comenzó a quitarse rápidamente las medias y luego el vestido y la ropa interior, mientras él contenía el aliento. Sus pechos erectos y agudos de animal vibraban y oscilaban con sus movimientos. A la luz verdosa tenía el color de marfil. Volvió a calzarse sus zapatos de goma y salió corriendo con una pequeña risa salvaje, levantando los pechos a la espesa lluvia y abriendo los brazos, mientras corría desdibujada en el agua danzando. Era una figura extraña y pálida, elevándose y descendiendo, curvándose de tal manera que la lluvia caía y brillaba sobre sus caderas, alzándose de nuevo y atravesando la cortina de agua con el vientre hacia adelante, para volverse con la visión sólo del contorno de las caderas y las nalgas en una especie de homenaje a él, como una especie de acto salvaje de sumisión.

Él rió sin gracia y se quitó la ropa a su vez, tirándola en

el interior de la choza. Era demasiado. Salió al exterior, desnudo y blanco, penetrando en la lluvia espesa y oblicua con un pequeño estremecimiento. La perra saltó, precediéndole con un ladrido apagado y frenético. Costi, con el pelo húmedo y pegado a la cabeza, volvió su cara caliente y lo vio. Sus ojos azules brillaron excitados al volverse y salir corriendo en un desacostumbrado ademán de carga, dejando el claro y penetrando en el sendero mientras las ramas húmedas azotaban su cuerpo. Ella siguió corriendo y él sólo veía su cabeza húmeda y redonda, la espalda húmeda inclinada hacia delante en la huida, el estremecimiento de las nalgas esféricas: el escape atemorizado de una maravillosa desnudez femenina.

Casi había llegado al amplio camino de herradura cuando él la alcanzó y la enlazó con su brazo desnudo, rodeando la humedad y la desnudez de su cintura suave. Ella dejó escapar un grito, se puso derecha y la masa de su carne femenina, suave y fría, se acercó a su cuerpo. Comprimió salvajemente contra sí aquella masa de carne de mujer, suave y fría, que al contacto tomó rápidamente el calor de una llama. La lluvia siguió cayendo sobre ellos para deshacerse luego en vapor. Él tomó sus nalgas, magníficas y macizas, cada una en una mano, y las apretó contra sí frenéticamente, estremeciéndose inmóvil en la lluvia. Luego, de repente, la levantó y cayó con ella sobre el sendero, en el rugiente silencio de la lluvia, y breve y fulminante la poseyó; breve y terminante había concluido, como un animal.

Se levantó inmediatamente, limpiándose la lluvia de los ojos.

–Vamos adentro –dijo, y comenzaron a correr hacia la choza.

Él corría rápidamente y en línea recta: no le gustaba la lluvia. Pero ella caminaba lentamente, recogiendo nomeolvides, margaritas y campanillas, avanzando luego algunos pasos y observando su rápida huida.

Cuando llegó con sus flores, jadeante, a la choza, él ya había encendido la chimenea y las ramas chisporroteaban. Sus pechos en punta subían y bajaban, su pelo se pegaba con la lluvia, su cara estaba ruborizada y su cuerpo brillaba chorreante. Con los ojos muy abiertos, con la cabeza pequeña y húmeda, las caderas potentes y goteando, parecía otra criatura.

Él tomó la vieja sábana y comenzó a secarla. Ella permanecía de pie como una niña. Luego se secó él, tras haber cerrado la puerta de la choza. El fuego ardía con una llama alta. Ella tomó el otro extremo de la sábana y se secó el pelo húmedo.

–Nos estamos secando con la misma toalla, eso significa que habrá pelea –dijo él.

Ella lo miró un momento, con el pelo en un desorden total.

–¡No! –dijo ella abriendo mucho los ojos–. ¡No es una toalla, es una sábana!

Y siguió secándose minuciosamente la cabeza, mientras él se secaba meticulosamente la suya.

Agotados todavía por el ejercicio, envuelto cada uno en una manta, pero con la parte delantera del cuerpo expuesta al fuego, se sentaron uno al lado del otro sobre un tronco frente a la chimenea para recuperar el aliento. A Costi no le gustaba el contacto de la manta sobre su piel. Pero la sábana estaba empapada.

Ella dejó caer la manta y se arrodilló sobre el hogar, acercando la cabeza al fuego y batiendo su pelo para que se secara. Él contemplaba la hermosa curva de sus caderas. Le fascinaba en aquel momento. ¡Qué hermosa curva la de aquella pendiente que terminaba en la sólida redondez de sus nalgas! Se las acarició con la mano, larga y suavemente, recorriendo aquellas curvas y aquella redondez esférica.

–¡Qué culo tan bueno tienes! –le dijo con voz acariciante–. Tienes el culo más hermoso que nadie. ¡Es el más hermoso, el más hermoso culo de mujer que existe! Y cada pedacito de él es mujer, mujer como la leche. Tienes un culo de verdad, suave y redondo como le gusta de verdad a un hombre muy hombre.

Todo el tiempo, mientras hablaba, iba acariciando exquisitamente aquella hermosura redonda, hasta que una especie de fuego deslizante pareció transmitirse de allí a sus manos. Y las puntas de sus dedos tocaron las dos aperturas secretas del cuerpo de ella una y otra vez con una suave caricia de fuego.

Costi no pudo contener un estallido repentino de risa asombrada, pero él continuó murmurando imperturbable:

–¡Eres real, eres tan real!; eres muy real e incluso un poco puta. Tienes de verdad un culo de mujer, orgulloso de sí mismo. No se avergüenza él, no.

Llevó su mano más cerca y más firmemente a los lugares más íntimos de ella, en una especie de saludo secreto y personal.

–Me gusta –dijo–. ¡Me gusta! Y si sólo viviera diez minutos y llegara a acariciar tu culo y a conocerlo, me parecería que habría valido la pena vivir, míralo. Éste es uno de los grandes momentos de mi vida.

Ella se volvió hacia él y se trepó a su regazo.

–¡Bésame! –susurró.

Y se dio cuenta de que la idea de la separación estaba latente en la mente de ambos y acabó ella misma entristeciéndose.

Se sentó en sus muslos, con la cabeza contra su pecho y sus brillantes piernas de marfil muy separadas. El fuego los iluminaba desigualmente. Sentado y con la cabeza baja, observaba él los pliegues de su cuerpo al resplandor de la hoguera y la mata de suave pelo castaño que pendía puntiaguda entre los muslos abiertos. Extendió el brazo hasta la mesa que estaba detrás y tomó el ramo de flores, tan húmedo aún que algunas gotas de lluvia cayeron sobre ella.

–Las flores se quedan afuera haga el tiempo que haga –dijo él–. No tienen casa.

–¡Ni siquiera una choza! –murmuró ella.

Con dedos tranquilos prendió algunas nomeolvides del suave vello del sexo de ella.

–¡Esto es! –dijo él–. Unas nomeolvides en el sitio justo.

Ella miró las pequeñas flores lechosas entre el vello de la parte inferior de su cuerpo.

–¿No es bonito? –preguntó.

–Hermoso como la vida –contestó él.

Y le colocó una florcita rosa entre el pelo.

–¡Así no me olvidarás! –le dijo.

–No te importa que me vaya, ¿no? –preguntó Costi inquieta, mirándolo a la cara.

Pero su cara era inescrutable bajo las espesas cejas. No mostraba ninguna reacción.

–Haz lo que te parezca.

–Pero no me iré si tú no lo quieres –dijo ella, apretándose contra él.

Un silencio.

Él se inclinó hacia adelante y echó otro leño al fuego. La llama iluminó su cara silenciosa y abstraída. Ella esperaba una respuesta, pero él no dijo nada.

–Pensaba que podía ser una buena manera de empezar a apartarme de Rodolfo. Quiero tener un hijo. Y me daría la posibilidad de... de... –continuó ella.

–De hacerle creer algunas mentiras –dijo él.

–Sí, eso entre otras cosas. ¿Quieres que se imagine la verdad?

–No me importa lo que crean.

–¡A mí sí! No quiero que empiecen a juzgarme. Pueden pensar lo que les dé la gana cuando me haya ido definitivamente.

Él permanecía en silencio.

–¿Pero el señor Rodolfo espera que vuelvas con él?

–Oh, tengo que volver –dijo ella, y de nuevo el silencio.

–¿Y tendrías un hijo en su casa? –preguntó él.

Ella pasó el brazo en torno a su cuello.

–Si no me llevas de allí tendré que hacerlo –dijo Costi.

–¿Llevarte, adónde?

–¡No me importa adónde! ¡Fuera! ¡Lejos de aquí!

–¿Cuándo?

–¿Cuándo? Cuando vuelva.

–¿Pero de qué te sirve volver, hacer las cosas dos veces, si ya te has ido? –dijo él.

–¡Oh, tengo que volver, lo he prometido! Lo he prometido solemnemente. Y además en realidad vuelvo a ti.

–¿Al guardabosque de tu marido?

–No creo que eso importe –dijo ella.

–¿No? –pensó un instante–. ¿Y entonces cuándo pensarías en marcharte definitivamente? ¿Cuándo con exactitud?

–Oh, no lo sé. Volveré de Venecia y entonces lo prepararemos todo.

–¿Preparar qué?

–Oh, decírselo a Rodolfo. Tengo que decírselo.

–¡Ah, sí!

Se quedó en silencio. Ella le echó los brazos al cuello.

–No me lo hagas difícil –le rogó.

–¿Hacer difícil qué?

–El ir a Venecia y arreglar las cosas.

Una pequeña sonrisa, casi una mueca, atravesó su cara.

–No lo estoy haciendo difícil –dijo–. Lo único que quiero averiguar es qué es lo que estás planeando. Pero ni tú misma lo sabes. Quieres ganar tiempo: marcharte y darle vueltas. No te lo reprocho. Es inteligente por tu parte. Quizá prefieras seguir siendo dueña de la casa de los Chatterley. Y no te lo reprocho. Yo no tengo una casa así para ofrecerte. Ya sabes lo que puedes sacar de mí. ¡No, no, creo que tienes razón! ¡De verdad lo creo! Y no me entusiasma la idea de vivir de ti, de que tengas que mantenerme. Eso, además.

De alguna forma ella tuvo la impresión de que le estaba devolviendo el golpe.

–Pero me quieres, ¿no? –preguntó ella.

–¿Me quieres tú a mí?

–Ya sabes que sí. Eso es evidente.

–¡Desde luego! ¿Y para cuándo me quieres?

–Ya sabes que lo arreglaremos todo cuando vuelva. Ahora es como una borrachera para mí. Tengo que sosegarme y aclararme.

–¡Desde luego! ¡Sosiégate y aclárate!

Estaba un poco ofendida.

–Pero confías en mí, ¿no? –dijo ella.

–¡Oh, absolutamente!

Notó la burla en el tono de su voz.

–Dime entonces –insistió ella cortante–, ¿crees que es mejor que no vaya a Venecia!

–Estoy seguro de que es mejor que vayas a Venecia –contestó él con voz fría y ligeramente burlona.

–¿Sabes que será el jueves que viene? –dijo ella.

–¡Sí!

Reflexionó un poco y por fin dijo:

–Y lo tendremos todo mucho más claro cuando vuelva ¿o no?

–¡Sí, seguro!

Un extraño vacío de silencio se produjo entre ellos.

–He ido a ver el abogado para consultar por mi divorcio –dijo él un tanto forzadamente.

Ella se estremeció levemente.

–¡De verdad! –dijo ella–. ¿Y qué te ha dicho?

–Dijo que debería haberlo hecho antes; ésa podría ser una dificultad. Pero como estaba en el ejército entonces, cree que podrá hacerse sin dificultades. ¡Siempre que ella no se me eche encima!

–¿Tendrá que saberlo ella?

–¡Sí! Tendrán que pasarle la comunicación, y lo mismo al hombre que vive con ella.

–¡Qué desagradables son todos esos formulismos! Supongo que yo tendré que pasar por todas esas cosas con Rodolfo.

Hubo un silencio.

–Y desde luego –agregó él–, tendré que llevar una vida ejemplar durante los próximos seis u ocho meses. Así que si te vas a Venecia habrá desaparecido la tentación, por lo menos durante una semana o dos.

–¡Soy una tentación! –dijo acariciándole la cara–. ¡Me hace tan feliz ser una tentación para ti! ¡No pensemos en ello! Me asustas cuando empiezas a pensar, me abrumas. No pensemos en ello. Ya tendremos tiempo de pensar cuando estemos separados. ¡Eso es lo importante! He estado pensando que tengo que pasar otra noche contigo antes de marcharme. Tengo que volver a tu casa. ¿Quieres que venga el jueves por la noche?

–¿No es ése el día en que tu hermana estará aquí?

–¡Sí! Pero ha dicho que saldríamos hacia la hora del té. Y podemos salir a la hora del té. Pero ella puede dormir en otra parte y yo puedo dormir contigo.

–Pero entonces tendrá que saberlo.

–Oh, voy a contárselo. Más o menos se lo he contado ya. Tengo que consultar con Hilda. Es una gran ayuda, es tan sensible...

Le daba vueltas al plan de ella.

–Así que saldrías de tu casa a la hora del té como si salieras hacia la capital. ¿Cómo ibas a ir?

–Por la ruta principal.

–¿Entonces tu hermana te dejaría en alguna parte y tú volverías aquí a pie o en coche? Me parece muy arriesgado.

–¿Sí? Bueno, entonces podría traerme Hilda. Ella podría dormir en el pueblo cercano, traerme por la tarde y volver a recogerme por la mañana. Es muy fácil.

–¿Y la gente que las vea?

–Llevaré anteojos y pañuelo.

Él lo pensó durante algunos instantes.

–Bueno –dijo–. Haz lo que te parezca, como de costumbre.

–¿Es que a ti no te parece?

–¡Oh, sí! Me parece muy bien –dijo con una mueca extraña.

Costi trenzó dos nomeolviodes en el manojo de pelo rojizo dorado sobre el miembro de él.

–¡Mira! –dijo–. ¡Encantador! ¡Encantador!

Y depositó enseguida algunos otras nomeolvides sobre el oscuro vello de su pecho.

–¿No me olvidarás aquí, no?

La besó en el pecho, colocando una nomeolvides sobre cada pezón y besándole de nuevo.

Los dos se rieron.

–¡Espera un momento! –dijo él.

Se levantó y abrió la puerta de la choza. La perra, tumbada en el porche, se levantó y lo miró.

–¡Sí, soy yo! –dijo él.

La lluvia había cesado. Había una quietud húmeda, grave y perfumada. Se acercaba el atardecer.

Salió y bajó por el sendero opuesto al camino en herradura. Costi observaba su figura delgada y blanca. Para ella era como un fantasma, una aparición que se alejaba.

Cuando dejó de verlo se estremeció su corazón. Se quedó de pie junto a la puerta, envuelta en una manta, inmóvil y atenta al silencio húmedo.

Pero volvía ya con un extraño trote y llevando flores. Sentía un cierto miedo de él, como si no fuera del todo humano. Y cuando llegó junto a ella, sus ojos miraron los suyos, pero ella no llegaba a comprender la intención de aquella mirada.

Había traído margaritas silvestres y anémonas, tallos de heno, ramas de roble y madreselva a punto de florecer.

Colocó ramitas aterciopeladas de roble en torno a sus pechos, y encima de ellas ramilletes de margaritas y anémonas; una rosa en el ombligo, y en el pelo del sexo había nomeolvides y campanillas.

–¡Ésta eres tú en toda tu gloria! –dijo.

Y distribuyó flores sobre el pelo de su propio cuerpo, se colocó un tallo de hiedra en torno del miembro y un jacinto en el ombligo. Ella observaba divertida su curioso entusiasmo, y plantó en su bigote una margarita que le quedó colgando bajo la nariz.

Él entonces extendió la mano hacia ella con un gesto, pero sin poder evitarlo estornudó. El estornudo hizo caer las flores del bigote y del ombligo. Volvió a estornudar.

Un rayo amarillo de sol brilló en ese momento sobre los árboles.

–¡Sol! –dijo él–. Y hora de que te vayas. ¡La hora, señora, la hora! ¿Qué es lo que vuela y no tiene alas, excelencia? ¡El tiempo! ¡El tiempo!

Recogió la camisa.

–Dale las buenas noches a éste –dijo mirándose el miembro–. Está a salvo en los brazos de la hiedra.

Y se puso la camisa de franela metiendo la cabeza por el agujero del cuello.

–El momento más peligroso para un hombre –dijo al asomar de nuevo la cabeza– es cuando se está poniendo la camisa. Es como meter la cabeza en un saco.

Ella lo seguía mirando. Él se puso el calzoncillo y lo abotonó a la cintura. Luego se sentó y empezó a ponerse las medias. Ella seguía inmóvil. Él puso la mano sobre la curva de sus nalgas.

–¡Pequeña y hermosa señora! –dijo–. Quizá encuentres en Venecia un hombre que cubra el pelo de tu sexo de jazmines y ponga una flor de granado en tu ombligo. ¡Mi pobre señora!

–¡No digas esas cosas! –dijo ella–. ¡Las dices sólo para herirme!

Él dejó caer la cabeza y dijo enseguida:

–¡Sí, quizá sí, quizá sí! Bueno, entonces no diré nada y ya está. Pero tienes que vestirte y volver a tu majestuosa mansión, a tu hermosa morada. ¡El tiempo se ha ido! ¡Se ha agotado el tiempo del guardabosque y la señora! ¡Debes ponerte la túnica, lady Chatterley! ¡Podrías ser cualquiera así como estás, sin nada encima y con sólo algunos harapos de flores. Vamos, vamos, voy a desnudarte, pajarito sin cola.

Y quitó las hojas de su pelo, besando sus cabellos húmedos, y las flores de sus pechos, y besó sus pechos, y besó su sexo, donde dejó las flores engarzadas.

–Que sigan ahí mientras quieran –dijo–. ¡Eso es! Ahí estás, desnuda otra vez, sólo una muchacha desnuda. Y ahora debes ponerte la camisa o lady Chatterley llegará tarde a cenar, y ¿dónde has estado, hermosa dama?

Nunca sabía qué contestarle cuando hablaba así. Se vistió y se preparó para volver ignominiosamente a su casa. O por lo menos así era para ella: volver ignominiosamente a su casa.

Quiso acompañarla hasta el camino de herradura. Las crías de faisán estaban guardadas bajo el cobertizo.

Cuando llegaron al camino se encontraron con la señora Bolton, que llegaba pálida y jadeante.

–¡Oh, señora, nos temíamos que hubiera pasado algo!

–¡No! No ha pasado nada.

La señora Bolton observó la cara del hombre, tranquila y renovada por el amor. Se encontró con sus ojos entre la risa y la burla. Siempre sonreía ante las dificultades. Pero la miraba amablemente.

–¡Buenas tardes, señora Bolton! Ya no hay peligro para la señora, así que puedo dejarla ahora. ¡Buenas tardes, señora! ¡Buenas tardes señora Bolton!

Hizo un saludo militar y se dio la vuelta.

11

Hilda llegó a la hora acordada el jueves por la mañana, en un coche ligero de dos plazas, con la valija fuertemente sujeta detrás. Parecía tan reservada y virginal como siempre, pero seguía siendo igual de obstinada. De inmediato se puso a organizar la parte material del viaje a Venecia.

Esa noche, ella y Costi estaban sentadas en la habitación de arriba, charlando.

–¡Pero Hilda –exclamó Costi un tanto asustada–, quiero pasar esta noche cerca de aquí!

Hilda miró fijamente a su hermana con sus ojos grises e inescrutables.

–¿Dónde cerca de aquí? –preguntó suavemente.

–Bueno, ya sabes que quiero a alguien, ¿no?

–Ya me imaginaba yo algo.

–Vive cerca de aquí y quiero pasar con él la última noche. ¡Tengo que hacerlo! Lo he prometido.

Hilda cedió por pura diplomacia. Estaba en realidad violentamente disgustada, pero no se atrevía a mostrarlo porque Costi se volvería desafiante e incontrolable de forma inmediata.

–Si yo fuese tú, me olvidaría de la aventura de esta noche– aconsejó con calma.

–¡No puedo! Tengo que pasar esta noche con él o no podré ir a Venecia en absoluto. De ninguna manera.

A la mañana siguiente, después de despedirse de Rodolfo y de la señora Bolton, las dos partieron para iniciar el viaje. Pero unos kilómetros después el coche tomó una bifurcación y regresó por otra ruta al pueblo cercano a la casa de los Chatterley, donde, al llegar al único hotel, Hilda pidió una habitación por esa noche.

Al atardecer partieron con el auto hacia las cercanías del bosque en uno de cuyos claros estaba la cabaña de Mellor. Costi se había puesto los anteojos y una gorra para enmascararse. Hilda condujo hasta el puente y, ya con la noche encima, salió cuidadosamente de la carretera y estacionó entre unos matorrales. Allí los esperaba el guardabosque, que emergió de las penumbras.

Costi le presentó a su hermana. El guarda la saludó, se descubrió, pero no avanzó un solo paso.

–Ven con nosotros hasta la casa, Hilda –suplicó Costi–. No está lejos.

Hilda accedió, pero antes puso en marcha el coche nuevamente, lo hizo girar para dejarlo listo para el regreso, y, marcha atrás, lo estacionó debajo de un sauce, ocultándolo a la vista de quien pasara por la carretera.

Los setos se elevaban altos, salvajes y sombríos. Había en el aire un aroma fresco y dulce.

El guarda iba delante, luego Costi y detrás Hilda, todos en silencio. En los sitios difíciles él se detenía a alumbrar con la linterna. Continuaron, mientras una lechuza ululaba suavemente sobre los robles y la perra giraba silenciosamente en torno a ellos. Nadie decía nada. No había nada que decir.

Costi vio por fin la luz amarilla de la casa y su corazón comenzó a latir. Estaba un poco asustada. Siguieron avanzando, aún en fila india.

Él abrió la puerta y las precedió a la habitación caliente pero desnuda. Había un fuego bajo y rojizo en la chimenea. La mesa estaba puesta con dos platos, dos vasos y, lo que era algo excepcional, un mantel blanco, como Dios manda. Hilda se sacudió el pelo y miró la habitación vacía y desolada. Luego se armó de valor y miró al hombre.

Era relativamente alto y delgado y le pareció interesante. Mantenía una distancia silenciosa y parecía absolutamente reacio a hablar.

–Siéntate, Hilda –dijo Constanza.

–¡Sí! –dijo él–. ¿Puedo prepararle un té o algo o prefiere un vaso de cerveza? Está bastante fría.

–¡Cerveza! –pidió Costi.

–¡Cerveza también, por favor! –dijo Hilda con una timidez burlona. Él la miró y parpadeó.

Tomó una jarra azul y salió hacia la despensa trasera de la cabaña. Cuando volvió con la cerveza su expresión había cambiado.

Costi se sentó junto a la puerta e Hilda siguió en la silla, de espaldas a la pared, junto al rincón de la ventana.

–Ésa es su silla –murmuró Costi suavemente. E Hilda se levantó como si quemara.

–¡Quédese ahí, no se moleste! Elija la silla que más le guste –dijo.

Le llevó un vaso a Hilda y le sirvió, escanciando la cerveza de la jarra azul.

–Cigarrillos no tengo, pero quizá tenga usted los suyos. Yo no fumo. ¿Quiere comer algo?

Se volvió directamente hacia Costi:

–¿Quieres picar algo?, ¿lo traigo? Ya sé que te arreglas con una pequeñez.

Hablaba con una curiosa calma y seguridad.

–¿Qué hay? –preguntó Costi ruborizándose.

–Jamón cocido, queso, nueces y piñones, si les gustan... poca cosa.

–Sí –dijo Costi–. ¿Tú no quieres, Hilda?

Hilda no le contestó. Él fue hacia la despensa por la comida.

Las hermanas estaban en silencio. Mellor volvió con otro plato, tenedor y cuchillo. Luego dijo:

–Si no le importa, voy a quitarme el saco, como hago siempre.

Se quitó la prenda y la colgó del gancho, luego se sentó a la mesa en mangas de camisa: una camisa de franela fina color crema.

–¡Sírvanse! –dijo–. ¡Sírvanse! ¡No esperen!

Cortó el pan y se quedó inmóvil. Hilda, como le sucedía siempre a Costi, sintió la fuerza de su silencio y su distancia. Vio su mano, pequeña y sensible, distendida sobre la mesa.

Comieron los tres en silencio. Hilda observaba para ver cómo eran los modales de él en la mesa. No pudo evitar darse cuenta de que era por instinto más delicado y mejor educado que ella misma.

–¿Y de verdad cree –dijo de pronto ella con un tono algo más humano que en sus anteriores intervenciones– que vale la pena correr el riesgo?

–¿Qué vale la pena correr qué riesgo?

–Esta aventura con mi hermana.

Su cara volvió a mostrar aquella mueca irritante.

–¡Pregúntele a ella! –respondió.

Luego miró a Costi.

–¿Es voluntario, no, cariño, todo esto...? Yo no te fuerzo a nada.

Costi miró a Hilda.

–Preferiría que te dejaras de decir tonterías, Hilda.

–No es mi intención decirlas. Pero alguien tiene que pensar en las cosas. Hay que tener alguna especie de continuidad en la vida. No puede andarse por ahí poniéndolo todo patas para arriba.

Hubo una pausa momentánea.

–¡Ah, continuidad! –dijo él–. ¿Y eso qué es? ¿Qué continuidad tiene usted en su vida? Supe que andaba divorciándose. ¿Qué clase de continuidad es ésa? La continuidad de su obstinación. De eso sí me doy cuenta. ¿De qué va a servirle? Estará harta de su continuidad dentro de poco. Una mujer encaprichada y su egoísmo; sí, esas mujeres corren bien con la continuidad, desde luego. ¡Gracias a Dios, no soy yo quien tiene que ocuparse de usted!

–¿Qué derecho tiene a hablarme de esa manera? –exclamó Hilda.

–¡Derecho! ¿Y qué derecho tiene usted de echarle a otra gente su continuidad por la cabeza? Deje que cada uno se ocupe de su propia continuidad.

–Señor mío, ¿cree que usted me preocupa en lo más mínimo? –dijo Hilda con voz templada.

–Sí –dijo él–. Le preocupo. Porque no le queda más remedio. Es usted mi cuñada, más o menos.

–Estoy lejos de serlo, se lo aseguro.

–No tan lejos, se lo aseguro yo a usted. ¡Yo tengo mi propia clase de continuidad y es tan larga como su vida y tan buena, día por día! Y si su hermana viene a mí en busca de un poco de sexo y de ternura, sabe muy bien lo que hace. Es ella la que ha estado en mi cama, no usted, gracias a Dios, con su continuidad.

Se produjo un enorme silencio antes de proseguir:

–Yo no llevo los pantalones con el culo por delante. Y si una fruta me cae en la mano, bendigo mi suerte. Una chica como ésta puede dar un montón de placer a un hombre, que es más de lo que puede decirse de las que son como usted. Lo que es una pena, porque usted podría haber sido quizá una manzana jugosa en lugar de una lánguida estirada.

La miraba con una sonrisa extraña y vibrante, ligeramente sensual y apreciativa.

–Y a los hombres como usted –dijo ella– habría que apartarlos de todo el mundo, en pago a su vulgaridad y a su sensualismo egoísta.

–¡Sí, señora! Por suerte quedan algunos hombres como yo. Pero usted se merece lo que tiene: una soledad total.

Hilda se había puesto de pie y se había acercado a la puerta. Él se levantó y tomó el abrigo del gancho.

–Puedo encontrar el camino perfectamente sola –dijo.

–Dudo que pueda –contestó él con tranquilidad.

Volvieron a bajar de nuevo por el sendero en silencio y en una fila ridícula. La lechuza seguía ululando. Tendría que matarla.

El coche estaba intacto, ligeramente cubierto de rocío. Hilda subió y puso el motor en marcha. Los otros dos esperaban.

–Lo único que quiero decir –añadió asomándose a la ventanilla– es que acabarán pensando que no ha valido la pena... los dos.

–Lo que es carne para unos es veneno para otros –dijo él desde la oscuridad–. Pero para mí es el pan y la sal.

Se encendieron los faros.

–No me hagas esperar por la mañana, Costi.

–No, estaré a tiempo. ¡Buenas noches!

El coche subió lentamente hacia la carretera, luego desapareció rápidamente, dejando la noche en silencio.

Costi se agarró de su brazo tímidamente mientras bajaban por el sendero. Él no hablaba. Algo más tarde ella lo hizo detenerse.

–¡Bésame! –susurró.

–¡No, espera un poco! Deja que vaya bajando la espuma –dijo él.

Ella se rió ante la imagen. Siguió apoyándose en su brazo y bajaron rápidamente el caminito en silencio. Se sentía feliz de estar con él ahora. Temblaba al pensar que Hilda podía haberla apartado de su lado.

Él guardaba un silencio impenetrable.

Cuando estuvieron de nuevo en la casa, casi saltó de placer al verse libre de su hermana.

–¡Le has dicho cosas horribles a Hilda! –le dijo.

–Deberían haberle dado unas cachetadas a tiempo.

–¿Pero por qué? Es tan buena...

Él no contestó; iba haciendo sus tareas con movimientos tranquilos que tenían algo de incontenibles. Estaba interiormente furioso, pero no con ella. Costi se daba cuenta de eso. Y su furia le daba una belleza especial, una interioridad y una irradiación que la llenaban de emociones y ablandaban sus miembros.

Él seguía sin hacerle caso.

Hasta que se sentó y comenzó a desatarse las botas. Luego la miró con las cejas arrugadas, con la ira en carne viva aún.

–¿No quieres ir arriba? –dijo–. ¡Ahí hay una vela!

Sacudió la cabeza para señalar la vela encendida sobre la mesa. Ella la tomó obediente y él se quedó observando la curva rotunda de sus caderas mientras ella subía las escaleras.

Fue una noche de pasión sensual en la cual ella estaba algo asustada y casi reacia, y sin embargo traspasada de nuevo por la indescriptible emoción de la sensualidad, diferente, más aguda, más terrible que la emoción de la ternura, pero en aquel momento más deseable. Aunque algo asustada, lo dejó hacer, y aquella sensualidad irreflexiva y desvergonzada la conmovió hasta lo más hondo, la desnudó de sus últimos resistencias y la convirtió en una mujer distinta. No era realmente amor. No era voluptuosidad. Era una sensualidad incisiva y ardiente como el fuego que convertía el alma en una llama.

Quemaba las vergüenzas más profundas y más antiguas, aquellas que residían en los lugares más secretos. Le costó un gran esfuerzo permitir que hiciera con ella lo que quisiera. Tenía que ser un objeto pasivo y conforme, como una esclava. Y sin embargo la pasión pasaba su lengua sobre ella, consumiéndola, y cuando su llama sensual se aferró a sus entrañas y a su pecho creyó morir realmente, pero con una muerte intensa y maravillosa.

¡Ah, los refinamientos de la pasión, las extravagancias de la sensualidad! Era necesario, eternamente necesario, quemar las falsas vergüenzas y fundir el pesado mineral del cuerpo para llegar a la pureza. Con el fuego de la sensualidad pura.

Todo aquello lo aprendió en una breve noche de verano. Antes hubiera imaginado que una mujer moriría de vergüenza. En lugar de eso, mató a la vergüenza misma. La vergüenza, que es temor, la profunda vergüenza orgánica, el viejo, tan viejo, temor físico que se agazapa en nuestras raíces corporales y solo puede ser espantado por el fuego sensual, puesto al descubierto y destruido por el asedio del miembro del hombre, para que ella pudiera llegar al corazón mismo de su propia selva. Sentía que ahora había llegado a la verdadera piedra madre de su naturaleza y estaba esencialmente libre de vergüenza.

Se había convertido en su yo sensual, desnudo y sin vergüenza. Se sintió triunfante, llena casi de orgullo. ¡Así! ¡Aquello era lo que era! ¡Aquella era la vida! ¡Así es como uno era realmente! No quedaba nada que disimular ni nada de qué avergonzarse.

Compartía su desnudez definitiva con un hombre, con otro ser.

¡Y qué demonio de temeridad era el hombre! ¡Realmente como un demonio! Había que ser fuerte para soportarlo. No era fácil llegar al núcleo mismo de la jungla física, al último y más profundo refugio de la vergüenza orgánica. Sólo el miembro masculino era capaz de explorarlo. ¡Y cómo había penetrado en ella!

Y de qué manera, atemorizada, lo había rechazado interiormente. ¡Pero cómo lo había deseado en realidad! Ahora lo sabía. En el fondo de su alma, fundamentalmente, había necesitado aquella posesión del macho, la había deseado en secreto y había creído que no llegaría a vivirla nunca. Y ahora, de repente, allí estaba, y un hombre compartía su desnudez última y definitiva; había muerto la vergüenza.

¡Qué mentirosos eran los poetas y todo el mundo! Le hacían creer a una que lo que se necesitaba era el sentimiento. Cuando lo que una necesitaba por encima de todo era aquella sensualidad penetrante, agotadora, un tanto horrible. ¡Encontrar un hombre que se atreviera a hacerlo, sin vergüenza ni pecado ni remordimiento! ¡Qué horrible si él se hubiera avergonzado al final y la hubiera hecho sentirse avergonzada! ¡Qué lástima que la mayor parte de los hombres sean tan perrunos, un tanto avergonzados, como Rodolfo! ¡Incluso Miguel! Sensualmente un tanto perrunos y al mismo tiempo humillantes. ¡El placer supremo de la mente! ¿Qué es eso para una mujer? En realidad, ¿qué es también para un hombre? No sirve para nada más que para confundir sus ideas y llevarlo al nivel de los perros. Es necesaria la escueta sensualidad para purificar y refrescar la mente. Sensualidad llana y lisa, no vaguedades.

¡Oh, Dios, qué cosa tan rara es un hombre! Son todos perros que trotan, olisquean y copulan. ¡Haber encontrado un hombre que no tenía miedo ni sentía vergüenza! Lo miró ahora, durmiendo, tal como un animal salvaje en un sueño, ausente, lejos en aquella lejanía. Se acurrucó a su lado para no estar lejos de él.

Hasta que él se incorporó y la despertó por completo. Estaba sentado en la cama, mirándola. Ella vio su propia desnudez en sus ojos, su conocimiento inmediato de ella. Y el conocimiento fluido y viril de sí misma parecía transmitirse a ella desde sus ojos y envolverla voluptuosamente. ¡Oh, qué voluptuoso, qué adorable era tener los miembros y el cuerpo como en vela, pesados e inyectados de pasión!

–¿Es hora de despertar? –murmuró ella.

–Las seis y media.

Tenía que estar junto a la carretera a las ocho. ¡Siempre, siempre, siempre estaba obligada por algo!

–Puedo hacer el desayuno y subirlo aquí, ¿quieres? –dijo él.

–¡Oh, sí!

La perra se quejaba suavemente abajo. Él se levantó, tiró su ropa de dormir y se frotó con una toalla. ¡Qué hermoso es el ser humano cuando está lleno de vigor y de vida! Lo pensaba mientras lo observaba en silencio.

–Abre la cortina, por favor.

El sol brillaba ya sobre las tiernas hojas verdes de la mañana, y el bosque cercano era de un azul fresco. Ella se sentó en la cama, mirando soñadoramente a través de la ventana, comprimiendo sus pechos con los brazos desnudos. Él se estaba vistiendo. Ella soñaba despierta con la vida, una vida junto a él: nada más que una vida.

Él se iba, huía de su peligrosa desnudez.

–¿Se ha perdido mi camisón? –dijo ella.

Él metió la mano bajo la sábana y sacó el trocito de seda ligera.

–Sabía que tenía algo de seda en los tobillos –dijo él.

Pero el camisón estaba rajado en dos pedazos.

–No importa –dijo ella–. Realmente éste es su sitio. Lo dejaré aquí.

–Sí, déjalo, podré ponérmelo entre las piernas por la noche para que me haga compañía. No tiene nombre ni marca, ¿no?

Ella se puso la prenda rasgada y siguió sentada, mirando ausente por la ventana. La ventana estaba abierta, entraba el aire de la mañana y el ruido de los pájaros, que pasaban volando continuamente. Luego vio a la perra correteando.

Lo oyó abajo encendiendo el fuego, sacando agua con la bomba y saliendo por la puerta trasera. Poco a poco empezó a llegar el olor de la panceta y por fin llegó él escaleras arriba con una enorme bandeja negra que apenas pasaba por la puerta. Dejó la bandeja sobre la cama y sirvió el té. Costi se acuclilló con su camisón rasgado y se le lanzó hambrienta sobre la comida. Él se sentó en una silla con el plato en las rodillas.

–¡Qué bueno está! –dijo ella–. Que maravilla desayunar juntos.

Él comía en silencio, pensando en lo rápido que pasaba el tiempo. Aquello la hizo recordar.

–¡Cómo me gustaría poderme quedar contigo y que mi casa estuviese a un millón de kilómetros de aquí! Es de esa casa de lo que escapo en realidad. Y tú lo sabes, ¿no?

–¡Sí!

–¡Prométeme que viviremos juntos, una vida juntos, tú y yo! Me lo prometes, ¿no?

–¡Sí! Si podemos.

–¡Sí! Y podremos, podremos, ¿no? –Se inclinó derramando el té y aferrándolo de la muñeca.

–¡Sí! –dijo él, secando la mancha de té.

–Es imposible que no vivamos juntos, ¿no? –dijo ella suplicante.

Él la miró con su mueca oscilante.

–¡Imposible! –dijo–. Sólo que tendrás que irte dentro de veinticinco minutos.

–¿Sí? –gritó ella. De repente él levantó un dedo, pidiendo silencio, y se puso de pie.

La perra había dado un ladrido corto y luego tres ladridos largos y potentes de aviso.

En silencio puso su plato sobre la bandeja y bajó.

Constanza lo oyó descender por el camino del jardín. Afuera se oía el timbre de una bicicleta.

–Buenos días, señor Mellor. Una carta certificada.

–¡Ah, sí! ¿Tiene un lápiz?

–Aquí tiene.

Hubo una pausa.

–¡Del Canadá! –dijo la voz del extraño.

–¡Sí! Un compañero mío que vive allí. No sé por qué la mandará certificada.

–A lo mejor le manda una fortuna.

–Pedirá algo más bien.

Pausa.

–¡Bueno! ¡Otro día estupendo!

–¡Sí!

–¡Buenos días!

–¡Buenos días!

Poco después llegó de nuevo a la habitación. Parecía enojado.

–El cartero –dijo.

–¡Qué temprano! –contestó ella.

–Tiene que hacer el reparto; casi siempre aparece hacia las siete cuando viene.

–¿Te envía una fortuna tu amigo?

–¡No! Sólo unas fotos y papeles sobre un sitio allí, en Canadá.

–¿Quieres ir allí?

–He pensado que quizá podríamos ir los dos.

–¡Sí! ¡Es una magnífica idea!

Pero estaba fastidiado por la visita del cartero.

–Malditas bicicletas, están encima de ti antes de que te des cuenta. Espero que no se haya enterado de nada.

–¿Y de qué podría enterarse, después de todo?

–Tienes que levantarte y prepararte. Voy a salir a echar un vistazo fuera.

Ella lo vio ir a reconocer el camino con la perra y la escopeta. Bajó, se lavó y estaba lista cuando volvió él; había metido las pocas cosas que llevaba en una pequeña bolsa de seda.

Él cerró con llave y se pusieron en marcha, pero fueron por el bosque en lugar de seguir el camino. Se había vuelto precavido.

–¿No crees que vivimos para momentos como los de anoche? –le dijo ella.

–¡Sí! Pero también hay que pensar en el resto del tiempo –contestó él un tanto cortante.

Avanzaban por un sendero cubierto de maleza.

Él iba delante, en silencio.

–Estaremos juntos y viviremos juntos... dime que sí –suplicó ella.

–¡Sí! –contestó él sin detener la marcha ni volverse a mirar–. ¡Cuando llegue el momento! Ahora vas a ir a Venecia o a no sé dónde.

Lo seguía en silencio, con el corazón oprimido. ¡Qué duro se le hacía marcharse!

Él se detuvo por fin.

–Voy a cortar por aquí –dijo, señalando hacia la derecha.

Pero ella le echó los brazos al cuello y se apretó contra él.

–Reservarás tu ternura para mí, dime que sí –susurró ella–. Me gustó tanto lo de anoche. Pero dime que reservarás tu ternura para mí.

Él la besó y la apretó un momento contra sí. Luego suspiró y volvió a besarla.

–Tengo que ir a ver si ha llegado el coche.

Se abrió camino entre las zarzamoras y los helechos, dejando un paso visible en la espesura. Estuvo ausente uno o dos minutos. Luego apareció de nuevo.

–El coche no ha llegado todavía –dijo–. Pero el carro del panadero está en la carretera.

Parecía inquieto y molesto.

–¡Escucha!

Oyeron llegar a un coche que tocaba suavemente la bocina al acercarse. Aminoró la marcha en el puente. Ella se metió desesperada por el paso que él había abierto en la maleza hasta llegar a un enorme matorral de acebo. Él estaba detrás, a su lado.

–¡Pasa por ahí! –dijo, señalando un agujero entre las ramas–. Yo me quedo aquí.

Ella lo miró desesperada. Él la besó y se despidió. Costi, absolutamente desolada, se abrió camino entre el ramaje, atravesó la cerca de madera, cruzó a duras penas la pequeña zanja y llegó al camino, donde Hilda estaba saliendo del coche, preocupada por no verla.

–¡Ah, ya estás aquí! –dijo Hilda–. ¿Y él?

–No viene.

La cara de Costi estaba surcada de lágrimas al subir al coche con su pequeña bolsa. Hilda le alcanzó la gorra y los anteojos oscuros.

–¡Debes ponértelos! –dijo.

Costi se encasquetó el disfraz, luego se puso el largo guardapolvo y se sentó, disfrazada, todo anteojos, inhumana, irreconocible. Hilda puso el coche en marcha con mano experta. Dejaron el camino y desaparecieron carretera abajo. Costi había mirado hacia atrás, pero no había rastros de él. ¡Cada vez más lejos! ¡Más lejos! Lloraba con amargura. La despedida había llegado tan de repente, de forma tan inesperada... Era como la muerte.

–¡Gracias a Dios que no lo verás durante algún tiempo! –comentó Hilda, tomando un desvío para evitar el camino que conducía a la casa Chatterley.

12

–Mira, Hilda –dijo Costi después de la comida, cuando estaban ya en camino–, tú no has llegado a conocer ni la ternura ni la sensualidad de verdad, y si se llegan a conocer, y con la misma persona, la diferencia es enorme.

–¡Hazme el favor y déjame en paz con tus experiencias! –dijo Hilda–. Todavía no he encontrado un hombre capaz de llegar a una verdadera intimidad con una mujer, de entregarse a ella. Eso es lo que yo he buscado. Me sobran su ternura en beneficio propio y su sensualidad. No quiero ser el juguetito de un hombre ni su cosita de placer. He buscado una intimidad completa, y nada. Así que se acabó.

Costi pensaba en aquello de la "intimidad completa". Imaginaba que quería decir ponerse por completo al descubierto ante la otra persona y que la otra persona hiciera lo mismo con uno. Pero qué aburrido. ¡Y esa relación en la que cada uno pensara en sí mismo todo el tiempo! ¡Era cosa de enfermos!

–Yo creo que piensas demasiado en ti misma todo el tiempo cuando te relacionas con alguien –le dijo a su hermana.

–Al menos creo que no tengo una naturaleza de esclava –dijo Hilda.

–¡Quizá sí! Quizá seas esclava de la idea que te has hecho de ti misma.

Hilda condujo en silencio durante algún tiempo ante aquella insolencia inaudita de una mocosa como Costi.

–Por lo menos no soy esclava de la idea que otra persona tenga de mí, de otra persona que es además criado de mi marido –replicó por fin, llena de ira.

–Pues no es así –dijo Costi con calma.

Siempre se había dejado dominar por su hermana mayor. Ahora, aunque en algún lugar de su interior seguía débil, estaba libre del dominio de otras mujeres. ¡Ah! Simplemente aquello era ya una liberación, como haber recibido una vida nueva: verse libre del extraño dominio y de las obsesiones de las demás mujeres. ¡Qué horribles eran las mujeres!

Quince días después del arribo de ambas a Venecia, cuando aún les faltaba otro tanto para el regreso, Costi recibió una carta de Rodolfo con el relato de algunas murmuraciones acerca de una mujer que visitaba al guardabosque en los últimos tiempos. Aquellas noticias la sacaron de su estado de bienestar semiatontado para llevarla a una inquietud rayana con la desesperación.

No había recibido ninguna carta de Mellor. Habían decidido no escribirse, pero ahora quería recibir noticias de él rápidamente. Después de todo era el padre del niño que ya estaba en camino.

Costi lo había sabido unos días antes. Y no comunicó la confirmación de su embarazo a nadie, ni siquiera a Hilda.

Poco después recibió una carta de Mellor, en la que le contaba todo lo que había sucedido. Su mujer había regresado a la cabaña y se había quedado en ella a vivir. Él no pudo evitar que encontrara algunos rastros del paso de Constanza por allí, como un pequeño frasquito de cosméticos o unos dibujitos que ella había hecho en un cartón en los que había escrito además sus iniciales. La mujer hizo correr la voz por todo el pueblo acerca de la existencia de un amante de su marido, quien había resultado ser nada más y nada menos que la señora Chatterley, la esposa de su patrón. Lo que llegó rápidamente a los oídos de Rodolfo, por boca de la señora Bolton. Éste, furioso, lo había echado, y él había partido para la capital, donde esperaba que una antigua empleadora que había tenido lo volviese a tomar. En la carta no había una sola palabra sobre ella o para ella.

Costi se enfureció con todo aquello, pero con esa furia complicada y confusa que la dejaba indefensa. Pero decidió partir de inmediato hacia Inglaterra. Calculó que estaría en Londres el lunes siguiente y que allí podría encontrarse con Mellor. Le escribió a la dirección desde la que él le había enviado la carta, rogándole que fuera a verla el lunes por la tarde al hotel en que iba a hospedarse.

Cuando llegó a la capital se encontró con una carta de Mellor:

No pasaré por tu hotel, pero te estaré esperando delante del Reloj Dorado, en la Calle Adam, a las siete.

Allí estaba, alto y esbelto, y tan diferente con un traje serio de paño fino y oscuro. Tenía una distinción natural. Aun así, ella se dio cuenta inmediatamente de que se lo podía presentar en cualquier parte. Tenía una elegancia innata, mucho más agradable que el comportamiento fabricado a medida.

–¡Ah, aquí estás! ¡Qué buen aspecto tienes!

–¡Sí! Pero tú no.

Lo miró inquieta a la cara. Había adelgazado y los huesos de los pómulos se habían aguzado. Pero sus ojos sonreían y ella sintió como si estuviera de vuelta en casa. Allí estaba: de repente desapareció la tensión producida por el intento de mantener las apariencias. Algo emanaba de él, algo físico, que la hacía sentirse interiormente tranquila, feliz y en su hogar. Con ese agudo sentido femenino para la felicidad, se dio cuenta enseguida de ese "¡soy feliz cuando está él!".

Ni todo el sol de Venecia había sido capaz de proporcionarle aquel alivio interior, aquel calor.

–¿Lo has pasado muy mal? –le preguntó, sentada frente a él en una mesa.

Estaba demasiado delgado; se daba cuenta ahora. Su mano colgaba inerte, tal como ella la recordaba, con la curiosa distensión de un animal dormido.

Sentía unos enormes deseos de abrazarla y besarla. Pero no acababa de atreverse.

–La gente siempre hace que uno la pase mal –dijo él.

–¿Estabas muy preocupado?

–Lo estaba y lo estaré siempre. Aunque sabía que era una locura preocuparse.

–¿Te sentías desorientado, humillado...?

La miró. Había sido una crueldad decir eso en aquel momento, porque su orgullo había sufrido amargamente.

–Supongo que sí –dijo él.

Ella no llegó a saber nunca la feroz amargura que le había producido ese comentario.

Hubo una larga pausa.

–¿Y me has echado mucho de menos? –preguntó ella.

–Me alegraba que te hubieras librado de todo.

Se produjo otra pausa.

–¿Se creyó la gente lo que se decía de ti y de mí? –preguntó ella.

–¡No! No lo creo en absoluto.

–¿Y Rodolfo?

–Yo diría que no. Rechazó la idea sin pensarlo siquiera. Pero, naturalmente, eso hizo que no quisiera verme más.

–Voy a tener un hijo.

La expresión desapareció por completo de su cara, de todo su cuerpo. La miró con los ojos oscurecidos, con una mirada que ella no alcanzaba a comprender, como si un espíritu la estuviera mirando entre llamas sombrías.

–¡Dime que te alegras! –rogó ella buscando su mano. Y

observó que una cierta satisfacción nacía en él. Pero estaba atemperada por algo que ella no llegaba a comprender.

–Es el futuro –dijo él.

–¿Pero no te alegras? –insistió ella.

–Tengo una desconfianza muy grande ante el futuro.

–Pero no debes preocuparte por ninguna responsabilidad. Rodolfo está dispuesto a quedarse con él. Lo alegraría.

Lo vio ponerse pálido y replegarse ante aquello. No contestó nada.

–¿Debo volver con Rodolfo y dar un pequeño heredero a los Chatterley? –preguntó ella.

La miró muy pálido y ausente. La siniestra mueca parpadeó en su cara nuevamente.

–¿No tendrías que decirle quién es el padre?

–¡Oh! –dijo ella–; incluso en ese caso lo aceptaría si yo quiero.

Él se quedó pensando.

–¡Sí! –dijo finalmente como para sí mismo–. Supongo que sí.

Hubo un silencio.

–Pero tú no quieres que vuelva con Rodolfo, ¿no? –preguntó ella.

–¿Y tú qué es lo que quieres? –contestó él.

–Quiero vivir contigo –dijo ella llanamente.

A pesar de sí mismo, sintió pequeñas llamas recorriendo su vientre al oírla decir aquello, y dejó caer la cabeza. Luego volvió a mirarla con sus ojos de acosado.

–Si es que te merece la pena –dijo él–. Yo no tengo nada.

–Tienes más que la mayoría de los hombres. Y lo sabes –dijo ella.

–En algún sentido lo sé.

Se quedó silencioso durante algún tiempo, pensando. Luego continuó:

–Solían decir de mí que tengo demasiado de mujer. Pero no es eso. No soy una mujer porque no me guste matar a los pájaros, ni porque no me guste ganar dinero ni ir ascendiendo. Podía haber hecho carrera en el ejército. Aunque sabía mandar a los hombres: me querían y me tenían no poco miedo cuando me enojaba. Yo quería a los hombres y los hombres me querían a mí. Pero no puedo soportar la dependencia en relación con una mujer. Porque siendo el mundo como es, ¿qué puedo ofrecerle yo a una mujer?

–¿Pero por qué ofrecer nada? No se trata de un mercado. Basta con que nos amemos –dijo ella.

–¡No, no! Es más que eso. Vivir es avanzar y avanzar. Y mi vida no quiere discurrir por los canales establecidos, se niega lisa y llanamente. Así que soy como una entrada usada. Y sería inútil que metiera una mujer en mi vida, a no ser que mi vida sirva para algo y vaya a alguna parte, al menos interiormente, para mantener la plenitud. Un hombre tiene que poder ofrecer a una mujer algún sentido de la vida, si va a ser una vida aislada y ella es una mujer auténtica. Yo no puedo simplemente vivir de ti.

–¿Por qué no? –dijo ella.

–Pues porque no puedo. Y porque después de poco tiempo no lo soportarías.

–Como si no pudieras fiarte de mí –dijo ella.

La misma mueca volvió a aflorar en su cara.

–El dinero es tuyo, la posición es tuya, las decisiones serán tuyas. Después de todo, yo no soy el que le hace el amor a la señora.

–¿Qué otra cosa eres?

–Bien puedes preguntarlo. Seguro que es algo que no se ve. Y sin embargo, por lo menos para mí, soy algo. Yo le veo un sentido a mi existencia, aunque comprendo que no pueda entenderlo nadie más.

–¿Y tendrá tu existencia menos sentido si vives conmigo?

Él esperó mucho tiempo antes de contestar.

–Pudiera ser.

También ella se quedó pensando.

–¿Y cuál es el sentido de tu existencia?

–Ya te he dicho que es algo que no se ve. No creo en el mundo, ni en el dinero, ni en el progreso.

–¿Y cómo tendrá que ser el verdadero futuro?

–¡Dios sabe! Yo siento algo dentro de mí, muy confuso y mezclado con una enorme rabia. Pero cómo se traduce en la realidad, no lo sé.

–¿Quieres que te lo diga yo? –dijo ella, mirándolo a la cara–. ¿Quieres que te diga lo que tienes tú que no tienen los otros hombres y que será la raíz del futuro? ¿Quieres que te lo diga?

–Dímelo entonces –contestó él.

–Es el coraje de tu propia ternura, es eso, como cuando me pones la mano detrás y me dices que tengo un lindo culo.

La mueca volvió a su cara.

–¡Eso! –exclamó él.

Luego se quedó pensativo.

–¡Sí! –dijo–. Tienes razón. Eso es realmente. Siempre es eso. Lo sabía con mis soldados. Tenía que estar en contacto con ellos, físicamente, y no retroceder. Tenía que ser corporalmente conciente de su presencia y mantener la ternura, aunque les hiciera lanzarse al infierno de cabeza. ¡Sí! Es realmente la ternura; la conciencia del sexo de la mujer. El sexo no es más que tacto, el más íntimo de todos los tactos. Y es el tacto lo que nos da miedo. Y debemos despertar y vivir. Todos deberían aprender a tocarse, a ser delicados y tiernos. Es una necesidad angustiosa.

Ella lo miró.

–¿Y entonces por qué tienes miedo de mí? –le preguntó.

Él la miró durante largo tiempo antes de responder:

–Es el dinero en realidad, y la posición. Es el mundo que hay en ti.

–¿Y no hay ternura en mí? –preguntó ella con tono anhelante.

La miró con los ojos oscuros, abstraídos.

–¡Sí! Va y viene, como me pasa a mí.

–¿Pero no confías en que persista en nosotros? –preguntó ella, mirándole con ansiedad.

Ella vio que su cara se suavizaba y se despojaba de su armadura.

–¡Quizá! –dijo él.

Estaban los dos en silencio.

–Quiero que me tengas entre tus brazos –dijo ella–. Quiero que me digas que te alegras de que vayamos a tener un niño.

Lo miraba con tanto amor, tanto calor y tanto deseo, que sus entrañas sintieron un vuelco hacia ella.

–Supongo que podremos ir a mi habitación –dijo él–. Aunque sea otra vez el escándalo.

Y vio que volvía a sentir una absoluta indiferencia hacia el mundo y que su cara tomaba la expresión suave, pura y tierna de la pasión.

Fueron por las calles más apartadas hasta donde él tenía una habitación en la parte alta de una casa, un ático donde podía cocinar en una cocinita a gas. Era pequeña, pero limpia y arreglada.

Ella se quitó la ropa y le hizo hacer lo mismo. Estaba preciosa en la primera floración de su embarazo.

–No debería tocarte –dijo él.

–¡No! –dijo ella–. ¡Ámame! Ámame y dime que te quedarás conmigo. ¡Dime que te quedarás conmigo! Dime que no dejarás que me vaya nunca ni hacia mundo ni hacia nadie.

Se deslizó hasta pegarse a él, apretándose contra su cuerpo delgado, fuerte y desnudo, el único hogar que había tenido en su vida.

–No te dejaré –dijo él–. Si tú lo quieres, no te dejaré.

La apretó fuertemente entre sus brazos.

–Y dime que te alegra lo del niño –repitió ella–. ¡Bésalo! Besa mi vientre y dime que te alegras de que esté ahí.

Aquello ya era más difícil para él.

–Me da miedo traer niños al mundo –dijo–. Me da mucho miedo el futuro por ellos después de lo que pasé en la guerra.

–Pero eres tú quien lo ha puesto dentro de mí. Sé tierno con él y ése será ya su futuro. ¡Bésalo!

Se estremeció porque era cierto. "Sé tierno con él y ése será ya su futuro." En aquel momento sintió un amor absoluto hacia esa mujer. Besó su vientre y su sexo para estar más cerca del pequeño que había en sus entrañas.

–¡Oh, me quieres! ¡Me quieres! –dijo ella con un pequeño gemido, como uno de sus gritos de amor ciegos e inarticulados.

Y él entró en ella suavemente, sintiendo el torrente de ternura que fluía de sus entrañas hacia las de ella, entrañas de compasión mutuamente entrelazadas.

Y se dio cuenta cuando penetraba en ella de que aquello era lo que había que hacer, llegar a un íntimo contacto sin perder su orgullo, su dignidad o su integridad de hombre. Después de todo, si ella tenía miedos y dinero y él no tenía nada, su orgullo y su honorabilidad mismos debían impedir que aquélla fuera una razón para retirarle su ternura. "Defiendo el contacto y la conciencia corporal entre los seres humanos –se dijo a sí mismo- y el contacto que nace de la ternura. Y ella es mi compañera. ¡Gracias a Dios tengo una mujer! Gracias a Dios tengo una mujer que me acompaña, y es tierna y está abierta a mí. Gracias a Dios es una mujer tierna y consciente." Y cuando la inundó con su semen, su alma corrió hacia ella al mismo tiempo, en ese acto creador que es mucho más que procreador.

Ella estaba ahora absolutamente decidida a que no volviera a haber separación entre ellos. Pero la manera había que decidirla aún.

–¿Odiabas a Berta? –le preguntó.

–No me hables de ella.

–¡Sí! Tienes que decírmelo. Porque hubo un tiempo en que la querías. Y hubo un tiempo en que tus relaciones con ella fueron tan íntimas como lo son ahora conmigo. Tienes que decírmelo. ¿No es horroroso, después de una intimidad así, llegar a odiarla tanto? ¿Por qué?

–No lo sé. De alguna manera estaba siempre contra mí; siempre, siempre, con su horrorosa testarudez.

–Pero ella no está libre de ti ni siquiera ahora. ¿Te quiere todavía?

–¡No, no! Si no está libre de mí es porque se ha dejado dominar por esa furia ciega, tiene que hacer lo posible por dominarme.

–Pero tiene que haberte querido.

–¡No! Bueno, quizás en algún instante. Se sentía atraída hacia mí. Pero creo que hasta eso la molestaba. Me amaba en algunos momentos. Pero siempre se volvía atrás y trataba de dominarme. Ése era su deseo más profundo, estar por encima. Y no había manera de cambiarla. Una obstinación equivocada desde el principio.

–Pero quizá se daba cuenta de que no la querías de verdad y trataba de obligarte.

–Y con qué violencia, Dios mío.

–Pero no la querías de verdad ¿no?... y eso era injusto.

–¿Cómo podía quererla? Había empezado a quererla, sí,

pero de alguna manera ella acababa siempre por destrozarme. No, no hablemos más de eso. Era una condenada. ¡Era una cosa llena de rabia y rencor con forma de mujer! Cuando una mujer se deja dominar por completo por su obstinación, por su instinto de acabar con todo, es insoportable.

–¿No habría que abominar a los hombres cuando se dejan arrastrar por la misma obstinación?

–¡Sí! ¡De la misma manera! Pero tengo que librarme de ella o se me volverá a echar encima. Quería decírtelo. Tengo que conseguir el divorcio, si es que puedo. Y eso hace que tengamos que tener cuidado. No deben vernos juntos a los dos. De ninguna, de ninguna manera toleraría que se echaran sobre mí y sobre ti.

Costi se quedó pensativa.

–¿Entonces no podemos estar juntos? –preguntó.

–No podremos durante seis meses o algo así. Supongo que me concederán el divorcio en septiembre; hasta marzo entonces.

–Pero el niño nacerá probablemente a finales de febrero –dijo ella.

Él se quedó en silencio.

–Me gustaría que todos los Rodolfos y Bertas desaparecieran –dijo.

–Eso no es muy cariñoso con ellos –dijo Costi.

–¿Cariñoso con ellos...? ¿Con ellos...?

Costi tenía mucho en qué pensar ahora. Era evidente que él quería librarse absolutamente de Berta. Y pensaba que tenía razón. El último ataque había sido demasiado rastrero. Pero aquello significaba que ella tendría que vivir sola hasta la primavera. Quizá pudiera divorciarse de Rodolfo. ¿Pero cómo? Si llegaba a oírse el nombre de Mellor, eso haría imposible su divorcio de Berta. ¡Nauseabundo! ¿Por qué no podía escapar uno al lugar más alejado de la tierra y librarse de todo aquello?

No se podía.

¡Paciencia! ¡Paciencia! Costi se confió a su padre.

–Mira, papá, era el guardabosque de Rodolfo, pero fue oficial del ejército.

–¿De dónde sale tu guardabosque? –le preguntó su padre, irritado.

–Es hijo de un minero. Pero es absolutamente presentable.

Él se enfureció más aún.

–A mí me parece un cazador de fortunas –dijo–. Y al parecer tú eres una presa fácil.

–No, papá, no es así. Te darías cuenta si lo vieras. Es un hombre.

Lo que el padre de ella no podía soportar era el escándalo que provocaría el que su hija se hubiera enamorado de un simple guardabosque. No le importaba el lío, le preocupaba el escándalo.

–Yo no tengo nada en contra de ese individuo. Está claro que ha sabido atraparte bien. Pero, por Dios, piensa en lo que se va a comentar. ¡Piensa en tu madrastra y en cómo le va a caer!

–Ya lo sé –dijo Costi–. La murmuración es algo horroroso, sobre todo si se vive en sociedad. Él tiene unas ganas enormes de que le concedan el divorcio. He pensado que quizá podamos decir que es hijo de otro hombre y no mencionar para nada el nombre de Mellor.

–¡Otro hombre! ¿Qué otro hombre?

Ella se encogió de hombros.

Hilda apareció también hecha una furia cuando se enteró de todo. Tampoco ella podía soportar la idea de un escándalo sobre su hermana y un guardabosque. ¡Demasiado, excesivamente humillante!

–¿Y por qué no podríamos marcharnos, cada uno por su lado, a otro país y evitar el escándalo? –dijo Costi.

Pero era inútil. El escándalo se produciría a pesar de todo. Y si Costi iba a escaparse con aquel hombre, mejor era que se casara con él. Ésa era la opinión de Hilda. El padre no estaba muy seguro. Quizá todo el asunto acabara desinflándose.

–¿Pero hablarás con él, papá?

¡Pobre hombre! No tenía ningunas ganas. Y el pobre Mellor tenía menos ganas todavía. Y, sin embargo, el encuentro tuvo lugar: una comida en un reservado club, con los dos hombres solos mirándose de arriba abajo.

El padre de Constanza bebió una buena cantidad de whisky; Mellor no se quedó atrás. Y hablaron todo el tiempo del ejército, un tema sobre el que el joven sabía bastante.

Eso fue durante la comida. Pero una vez servido el café, y cuando el camarero hubo desaparecido, el hombre encendió un puro y dijo cordialmente:

–Bueno, joven, ¿qué me dice de mi hija?

La mueca de costumbre apareció en la cara de Mellor.

–Bien, señor, ¿y qué me dice usted?

–Parece que le ha hecho usted un hijo.

–He tenido ese honor –dijo Mellor con su mueca.

–¡Ese honor! ¡Dios! –el padre soltó una carcajada y empezó a reaccionar lascivamente–. ¿Honor? Y qué tal... la cosa, ¿eh? Bien, jovencito, ¿o no?

–¡Bien!

–¡Apuesto algo a que sí! ¡Ja, ja! ¡Mi hija! La rama sale al tronco, ¿eh? Yo tampoco me he echado nunca atrás si se presentaba la posibilidad de un rato de buen sexo. Aunque su padre... ¡Por todos los santos! –Alzó los ojos al cielo-. Pero parece que tú la has recalentado; recalentado, desde luego, eso se ve enseguida. ¡Ja, ja! ¡Tiene mi sangre! Le has avivado el fuego en su granero, y bien. ¡Ja, ja! Y yo me he alegrado, te lo aseguro. ¡Ja, ja, ja! Le hacía falta. ¡Oh, es buena chica, buena chica, y ya sabía yo que daría juego si un hombre con lo que hay que tener le metía ardor! ¡Ja, ja, ja! ¡Guardabosque, eh, muchacho! Un buen cazador furtivo, diría yo. ¡Ja, ja! ¡Pero, vamos a ver, hablando en serio, de verdad!

Hablando en serio no llegaron muy lejos. Mellor, aunque estaba un poco bebido, era el más sobrio de los dos. Mantuvo la conversación en el tono más sensato posible: lo que no es mucho decir.

–¡Así que te ocupas de que no roben la caza! ¡Oh, haces muy... muy bien! Ese tipo de caza vale la pena para un hombre, ¿eh?, ¿o no? Para probar a una muchacha no hay más que darle un pellizco en el culo. Uno sabe en cuanto se les toca el culo si la cosa va a ir bien o no. ¡Ja, ja! Te envidio, jovencito. ¿Cuantos años tienes?

–Treinta y nueve.

El caballero frunció el entrecejo.

–¡Tantos! Bueno, por el aspecto te quedan otros veinte años largos de actividad. Oh, guardabosque o no, el miembro te debe funcionar bien. Me basta un ojo para verlo. ¡Y no como ese idiota de Rodolfo! Un perrito faldero que no ha hecho el amor en su vida, ni una vez. Me gustas, muchacho. Apuesto cualquier cosa a que tienes un buen pedazo de miembro; eh, un gallo de pelea. Lo veo. Un luchador. ¡Guardabosque! ¡Ja, ja ,ja, demonios! ¡No sería yo quien te diera mi caza a cuidar! Pero ahora en serio, ¿qué es lo que piensas hacer?

Y en serio no llegaron a nada, excepto a reafirmar una vez más entre ellos esa vieja camaradería de la sexualidad masculina.

–Y mira, muchacho, si alguna vez puedo hacer algo por ti, confía en mí. ¡Guardabosque! ¡Dios, qué cosa! ¡Me encanta!

¡Oh, me encanta! Eso demuestra que la niña tiene fibra. ¿Eh? Después de todo dispone de su propia renta, no demasiada, pero lo bastante como para no morirse de hambre. Y yo le dejaré lo que tengo. Por Dios que lo haré. Se lo ha ganado por tener valor en un mundo de viejas. Yo he luchado por librarme de las faldas de todas esas viejas durante setenta años y no lo he conseguido todavía. Pero tú eres un hombre capaz de hacerlo, ya me doy cuenta...

–Me alegro de que lo crea.

Se despidieron casi de buen humor, y Mellor se estuvo riendo interiormente y de manera constante durante el resto del día. Al día siguiente comió con Costi y Hilda en un sitio discreto.

–Es una verdadera lástima que la situación tenga tan mal aspecto por dondequiera que se mire –dijo Hilda.

–Pues yo lo he pasado bastante bien –dijo él.

–Creo que podrían haber evitado traer hijos al mundo hasta que los dos hubieran estado libres para casarse y tenerlos.

–El Señor avivó el fuego demasiado pronto –dijo Mellor.

–Yo creo que el Señor no ha tenido nada que ver con todo eso. Desde luego. Costi tiene dinero suficiente para que vivan los dos, pero la situación es insoportable.

–Pero a usted no le toca soportar más que una esquinita mínima de la situación, ¿o no? –dijo él.

–Si hubiera sido usted...

–O si hubiera estado en una jaula del zoológico...

Hubo un silencio.

–Creo –dijo Hilda– que lo mejor es que ella dé el nombre de otro como responsable y usted se quede fuera del asunto.

–Ah, creí que había tenido algo que ver en todo esto.

–Quiero decir mientras dura la tramitación del divorcio.

Miró asombrado a Costi.

Ella no le había contado nada sobre el proyecto de mezclar a otro, a algún amigo de la familia en el asunto.

–No lo entiendo –dijo él.

–Tenemos un amigo que probablemente estaría de acuerdo en que diéramos su nombre como responsable, y así se podría ocultar su nombre –dijo Hilda.

–¿Quiere decir un hombre?

–¡Desde luego!

–¿Es que ella tiene otro?

Miró a Costi desconcertado.

–¡No, no! –dijo ella inmediatamente–. Sólo un antiguo amigo, por las buenas, nada de amor.

–¿Y entonces por qué va a cargar con las culpas? Si él no va a sacar nada.

–Hay hombres que son muy caballeros y no calculan sólo lo que van a sacar de una mujer –dijo Hilda.

–Un gol en contra mía, ¿eh? ¿Y quién es ese tipo...?

–Puede ser un amigo a quien conocemos desde que éramos niñas.

–¿Y cómo van a arreglárselas para pasarle la culpa?

–Podrían irse a vivir juntos a un hotel, o ella podría incluso ir a su departamento.

–Me parece un montón de complicaciones para nada –dijo él.

–¿Se le ocurre alguna idea mejor? –dijo Hilda–. Si aparece su nombre no conseguirá el divorcio de su mujer, que al parecer no es una persona fácil de tratar.

–¡Demasiado! –dijo él sombrío.

Se produjo un largo silencio.

–Podríamos irnos por las buenas –dijo él.

–No hay "por las buenas" para Constanza –dijo Hilda–. Rodolfo es demasiado conocido.

Y de nuevo aquel silencio lleno de frustración.

–El mundo es como es. Si quieren vivir juntos sin que nadie se meta con ustedes, tendrán que casarse. Para casarse tienen que divorciarse los dos. Dígame cómo van a hacerlo.

Él permaneció largo tiempo silencioso.

–¿Cómo va a hacerlo usted por nosotros? –dijo él.

–Veremos si este amigo está de acuerdo en figurar como responsable. Luego conseguimos que Rodolfo se divorcie de Constanza, usted sigue con su divorcio y se mantienen los dos separados hasta que sean libres.

–Es como una verdadera locura.

–¡Puede ser! Pero el mundo los consideraría a ustedes locos, o algo peor.

–¿Qué es peor?

–Culpables, supongo.

Él permaneció en silencio y enfadado.

–Bien –dijo finalmente–. Estoy de acuerdo con lo que sea. Tiene usted razón. Debemos tratar de arreglárnoslas lo mejor posible.

Miró a Costi humillado, furioso, cansado y abatido.

–¡Cariño! –dijo–. El mundo va a atraparte.

–No, si nosotros lo evitamos –dijo ella.

Para ella, aquella complicidad con el mundo no era tan grave como para él.

Cuando trataron el asunto con el amigo de la familia, éste insistió también en ver al guardabosque culpable. Y así se organizó una cena, esta vez en su piso: estaban los cuatro. Una vez que comieron, Duncan, tal el nombre del amigo, mantenía sus ojos pequeños y marrones fijos en el otro hombre. Tenía curiosidad por oír la opinión del guardabosque. Las opiniones de Costi y de Hilda ya las conocía.

–Es exactamente como un homicidio –dijo Mellor al fin; una forma de hablar que Duncan no hubiera esperado nunca de un guardabosque.

–¿Y quién es la víctima? –dijo Hilda, un tanto fría y despreciativa.

–¡Yo! Es un asesinato de todo lo que hay de compasivo en las entrañas de un hombre.

Una oleada de odio puro emanó de Duncan. Había escuchado la nota de rechazo y desprecio en la voz del otro hombre. Y a él le repugnaba que se mencionara siquiera a la compasión gestada en las entrañas. ¡Un sentimiento enfermizo!

Mellor estaba en pie, alto y delgado, cansado el aspecto, observando sin demasiado interés lo que sucedía a su alrededor.

–Quizá sea la estupidez lo que se asesina ahí; la estupidez sentimental –escupió Duncan.

–¿Le parece a usted? –murmuró Mellor.

Constanza le escribió a Rodolfo diciéndole que se había enamorado de otro hombre. Le indicó que éste era Duncan, aquel amigo de la familia, y que se había ido a vivir con él.

Rodolfo tuvo una violenta y dolorosa reacción que paulatinamente fue atenuándose hasta desaparecer cuando se entregó a las caricias de la señora Bolton, y a sus tiernos y comprensivos cuidados. De todas maneras le escribió a Constanza exigiéndole que cumpliera su promesa de volver a la casa con él.

Ella le escribió negándose a ir, pero Rodolfo insistió, amenazándola veladamente con no darle jamás el divorcio, y también con quitarle el hijo que iba a tener.

Después de muchas cavilaciones, Costi decidió regresar a la que había sido su casa, pero acompañada por Hilda. Una vez allí, esa misma noche de la llegada, mantuvo una larga conversación con Rodolfo. Él le dijo que no creía que pudiese amar a un hombre como Duncan, a quien ella había despreciado en el pasado. Ella volvió a insistir en que esos eran sus sentimientos. Pero él se empecinó en que jamás iba a otorgarle la separación. Y todo intento de ablandarlo para que cambiara su decisión fue inútil.

Costi volvió a su habitación y le contó a Hilda lo sucedido.

–Es mejor que nos vayamos mañana –le dijo ella–. Tal vez sea posible que si lo dejamos tranquilo recupere su sensatez.

Antes de partir, al despedirse de la señora Bolton, ésta le dijo que ella había sabido que el hombre que Costi amaba y el verdadero padre de su hijo era Mellor, el antiguo guardabosque, y que también el señor Rodolfo lo sabía.

Las dos hermanas regresaron a la casa natal, en el norte. Mellor encontró trabajo en una granja en el campo. La intención era que él consiguiese su divorcio, aunque no fuera posible el de Costi. Y durante seis meses trabajaría en el campo para que más tarde Costi y él pudiesen comprar su propia granja, a la que él dedicaría todas sus energías. Porque tendría que trabajar, y mucho, y tendría que ganarse la vida, aunque fuera el dinero de Costi el que les permitiese ponerse en marcha.

De modo que tendrían que esperar hasta la primavera, hasta el nacimiento del niño, hasta que el verano comenzara a despuntar.

Este libro se terminó de imprimir en
Mundo Gráfico
Zeballos 885
Avellaneda
Junio de 2001